JEFF KINNEY'NİN DİĞER KİTAPLARI

Çeviri: Kenan Özgür

Wimpy Kid

SAFTİRİK

GREG'İN GÜNLÜĞÜ

HEY GİDİ GÜNLER!

Jeff Kinney

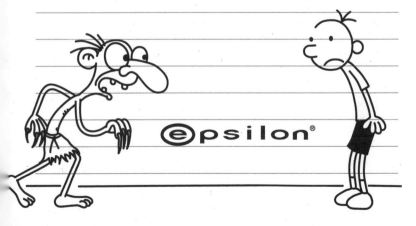

epsilon®

SAFTİRİK GREG'İN GÜNLÜĞÜ
HEY GİDİ GÜNLER!

Orijinal Adı: Diary Of a Wimpy Kid / Old School
Yazarı: Jeff Kinney
Yayın Yönetmeni: Aslı Tunç
Çeviri: Kenan Özgür
Düzenleme: Gülen Işık
Kapak Uygulama: Berna Özbek Keleş

17. Baskı: Ekim 2018

YAYINEVİ SERTİFİKA NO: 34590
ISBN: 978-9944-82-746-1

Kitap Tasarım: Jeff Kinney
Kapak Tasarım: Chad W. Beckerman ve Jeff Kinney
İngilizce ilk baskı: 2015 (Amulet Books - Imprint of Abrams)
Türkçe yayın hakkı © Epsilon Yayınevi Ticaret ve Sanayi A.Ş.

Baskı ve cilt: Mega Basım Yayın Sanayi ve Tic. A.Ş.
Cihangir mah. Güvercin cad. No: 3/1
Baha iş merkezi A Blok Kat: 2 34310
Haramidere/ İstanbul/TURKEY
Tel: 212 412 17 21
Sertifika No: 12026

Yayımlayan:
Epsilon Yayınevi Ticaret ve Sanayi A.Ş.
Osmanlı Sk. No: 18 / 4-5 Taksim/İstanbul
Tel: 0212.252 38 21 Faks: 252 63 98
İnternet adresi: www.epsilonyayinevi.com
e-mail: epsilon@epsilonyayinevi.com

BABAMA

EYLÜL

Cumartesi

Büyükler hep "eski güzel günler"den ve KENDİ çocukluklarında her şeyin çok daha güzel olduğundan söz ediyorlar.

Ama bence sırf kıskançlıklarından yapıyorlar bunu çünkü BENİM kuşağımın sahip olduğu harika teknolojik aletler filan onların çocukluğunda yoktu.

Eminim kendi çocuklarım olduğunda, ben de aynen annemle babamın şimdiki hali gibi olacağım.

BENİM ÇOCUKLUĞUMDA, ETRAFTA DOLAŞMAK İÇİN BACAKLARIMIZI KULLANIRDIK!

YA HE HE!

VIRR   VIRR

Annem diyor ki: ONUN çocukluğunda her şey harikaymış, çünkü kasabadaki herkes birbirini tanırmış. Sanki kocaman bir aile gibilermiş.

Ama bu BANA hiç de harika gelmiyor. Ben bir özel hayatım olsun istiyorum ve kimsenin işlerime karışmasına ihtiyacım yok.

Anneme göre, günümüzde toplumun en büyük sorunu, herkesin burnunu bir ekrana gömmesi ve kimsenin etrafında yaşayanları tanımaya zaman ayırmaması.

Ama ben bu meseleye pek annem gibi bakmıyorum.

Şahsen ben, biraz mesafenin iyi olduğunu düşünüyorum.

Annem bugünlerde kasabada insanların cep telefonlarını ve elektronik aletlerini kullanmayı kırk sekiz saat süreyle bırakmaları için bir kampanya başlattı.

YENİDEN BAĞLANMAK İÇİN FİŞLERİ ÇEKELİM!

Elektronik aletler hayatlarımızı karmakarışık ediyor! Bir hafta sonu boyunca aletlerimizi bırakalım ve birbirimizi tanımaya çalışalım. Varım diyenler?

1. _____	41. _____
2. _____	42. _____
3. _____	43. _____

Annemin dilekçeyi belediyeye sunabilmesi için yüz imzaya ihtiyacı var. Ama insanları imza atmaya ikna etmekte zorlanıyor.

Ben de onun bu fikrinden bir an önce vazgeçmesini umuyorum. Çünkü onu tanımıyormuş gibi yapmak hepimiz için çok zor oluyor.

Annemin neden GERİYE gitmemiz gerektiğini düşündüğünü gerçekten anlamıyorum zaten. Bana kalırsa, eski günler hiç de eğlenceli değilmiş.

Düşünsenize... o siyah-beyaz fotoğraflarda GÜLÜMSEYEN birini gördünüz mü hiç?

Eski günlerde, insanlar bugün olduklarından çok daha SERTLERMİŞ.

Ama insanlar EVRİM geçirmişler. Artık hayatta kalabilmek için elektrikli diş fırçalarına, alışveriş merkezlerine ve dondurma makinelerine ihtiyacımız var.

İddiaya girerim, atalarımız bugünkü halimizi görseler hayal kırıklığına uğrarlardı. Ama biri klimayı icat ettikten sonra, artık geriye dönüş olmayacaktı.

O kadar şımardık ki, çok yakında, canımız istemediği sürece evlerimizden çıkmamıza bile gerek kalmayacak.

Hatta, bence bu gidişle, bundan bin yıl sonra, insanların OMURGALARI bile olmayacak.

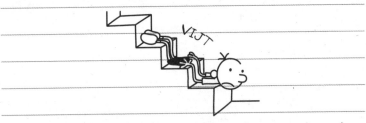

Kimileri, bu teknolojinin bizi tembelleştirdiğinden yakınıyor. Ama bana soracak olursanız, bu o kadar da KÖTÜ bir şey değil.

Günümüzde insanların hayatlarını daha güzel ve rahat hale getiren BİR SÜRÜ lüks ürün var. Örneğin, bebekler için ıslak mendil. İnsanlar yüzlerce yıl normal tuvalet kâğıdı kullanmışlar. Sonra birden bir dahi bu fikri icat etmiş ve oyun tamamen değişmiş...

Beni şaşırtan, insanların bu fikri bulmalarının bu kadar UZUN zaman alması. Elektrik ampulünü icat eden adamın sırada bebekler için ıslak mendil olduğunu göremediğine gerçekten inanamıyorum.

Ve kim bilir, sırada hayatlarımızı kolaylaştıracak hangi çılgın fikir var. Ne olursa olsun, ilk satın alanlardan biri ben olacağım.

Ama anneme kalsa, biz bilgisayarlar, cep telefonları ve ıslak mendiller icat edilmeden önce yaşayan insanlar gibi olurduk.

Ve ben bebekler için ıslak mendillerin olmadığı bir dünyada yaşamayı düşünmek bile istemiyorum.

Pazar

Annem, kendisinin çocukluğunda, yazları çocukların bütün gün dışarıda oyun oynadıklarını, ancak akşam yemeği için çağrıldıklarında eve girdiklerini söylüyor.

Benim yazım bu yıl tam TERSİ şekilde geçti.

Temmuz ve ağustos aylarını Film Kampı'nda geçirdim. Tek yaptığım, günde sekiz saat klimalı bir salonda film izlemekti.

Film Kampı'na kaydolmamın temel nedeni, bunun BENİM gibi filmleri CİDDİYE alan insanlar için olduğunu düşünmemdi.

15

Ama meğer burası, anne babaların çocuk bakıcılığını ucuza getirmek için çocuklarını bıraktıkları bir yermiş.

Karanlık bir salonda o kadar uzun zaman geçirmenin en kötü tarafı, günün sonunda gözlerimin yarım saat boyunca gün ışığına alışamamasıydı.

Film Kampına katılmamın diğer nedeni, EVDEN çıkabilmekti. Evcil bir domuzumuz olduğundan beri, evde olmak pek eğlenceli değil. Özellikle AKŞAM YEMEĞİNDE.

Aklınızda bulunsun, domuzun masada yemek yemesine izin vermek BERBAT bir fikir çünkü şimdiden kendini insan sanmaya başladı. Onun da kendini bizimle eşit durumda görmesi de ihtiyacımız olan en son şey.

Domuzun bizimle yaşamaya başlamasından hemen sonra, annem ona bazı numaralar öğretmenin eğlenceli olacağını düşündü. Domuz arka ayaklarının üzerinde kalktığında, ona bir kurabiye vermeye başladı.

Ama domuz o şekilde YÜRÜMEYİ öğrendi ve
o zamandan beri dört ayak üzerinde yürümüyor.
İşin daha da KÖTÜSÜ, küçük kardeşim
Manny domuza kendi şortlarından birini giydirdi.
Bu yüzden şimdi evde bir Disney karakteri ile
birlikte yaşıyor gibiyiz.

Annem önceleri domuzu dışarı çıkarıyordu ama
domuz iki ayak üzerinde yürümeye başladıktan
sonra, tasma kayışı ona fazla gelmeye başladı.

Annem, eğer domuz kaçarsa onu bir daha
bulamayacağımızdan endişelendi, bu yüzden
üzerinde GPS takip çipi olan tasmalardan aldı.

Ama annem tasmayı ne zaman taksa, tasma beş dakika içinde KAPANIYOR. Domuzun bunu nasıl yaptığını anlamıyorum çünkü PARMAKLARI bile yok.

Böylece domuz artık canının istediği zaman gelip istediği zaman gidiyor. Zamanını nerede geçiriyor KİM BİLİR. İşin en gıcık tarafı da, benim belirli bir saatten sonra dışarda kalmam yasak. Ama domuz için böyle kurallar yok.

Bence domuza bu kadar ayrıcalık tanımak GERÇEKTEN kötü bir fikir. Bir gün dünyayı domuzlar yönetecek ve bu da her şeyi başlatan ailemin yüzünden olacak.

Domuz benim hayatımı altüst etmese, onunla bir derdim olmazdı. Ama o banyoyu işgal ettiği için daha ilk günden okula geç kaldım.

Evde domuz olduğu için, okulun açılmasını DÖRT GÖZLE bekliyordum. Ama okula gider gitmez, değişen hiçbir şey olmadığını anladım.

Dürüst olmam gerekirse, sanki ezelden beri ortaokuldaymışım gibi hissettim kendimi.

Bir şeyler yapmam gerekiyordu yoksa çıldıracaktım. Bu yüzden, okulun ilk haftası Ev Ödevi Arkadaşları programı için gönüllü oldum.

21

Benim için programın EN İYİ tarafı, üçüncü derse girmemekti. Üçüncü ders, Bayan Graziano ille Müzik dersi idi.

Bayan Graziano'nun ne kadar uzun zamandır müzik öğretmeni olduğu konusunda size bir fikir vermesi için şunu söyleyeyim: Babam benim yaşımdayken, Bayan Graziano ONUN da müzik öğretmeniymiş. Demek otuz yıl boyunca çocuklara müzik aletleri çalmayı öğreten insana bir şeyler oluyor.

Geçen hafta Ev Ödevi Arkadaşım ile, yani Frew adındaki çocukla tanıştım. Onun bu programa neden katıldığını hiç anlamadım gerçi çünkü kendisi EĞLENCE olsun diye bilimsel makaleler ve üniversite ders kitapları okuyan insanlardan biri.

İlk bir araya geldiğimizde, Frew bana boyama ve sözcük bulma ödevlerini gösterdi. Yardıma ihtiyacının olmadığını söyledi ve BENİM ödevlerimi görmek istedi.

EN AZ bir saat sürecek Matematik problemlerim ve iki saatimi DAHA alacak Coğrafya ödevim vardı. Ama Frew hepsini on beş dakika içinde halletti.

Üstelik sadece hızlı değil, aynı zamanda İYİYDİ. Ertesi gün ödevleri teslim ettim. Geri aldığımda da tam not aldığımı gördüm.

Önce, bir üçüncü sınıf öğrencisinden yardım aldığım için kendimi biraz kötü hissettim. Ama sonra, Ev Ödevi Arkadaşları'nın birbirlerine yardımcı olmaları GEREKTİĞİ geldi aklıma.

Bu yüzden artık ne zaman Frew ile bir araya gelsem, önüne bir yığın ödev koyuyorum ve yapmasını istiyorum. Bu, herkesin işine geliyor bence.

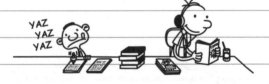

Frew ile ilgili tek şikâyetim, bazen AŞIRI yardımsever olması. Kimi zaman ödevlerimden sıkılıyor ve kendisini ZORLAYACAK yeni ödevler uyduruyor.

Geçen gün bir makale yazdı ve daha fazla puan almam için benim NORMAL ödevime iliştirdi. Neyse ki ödevi teslim etmeden önce şöyle bir kontrol ettim.

Fizikte Karşılıklı Geçirgenliğin Saptanması

Hazırlayan: ~~Frew~~

Greg Heffley

Bir süre, ödevlerim konusunda yardım almak bana yetti, bundan memnundum. Ama son zamanlarda şunu düşünmeye başladım: Madem Frew'u keşfeden benim, o zaman onun başarılarından pay almayı hak ediyorum.

Çarşamba

Sanki evimiz YETERİNCE kalabalık değilmiş gibi, şimdi BÜYÜKBABAM da bizimle birlikte yaşıyor.

Kaldığı yerin kirasını artırmışlar; büyükbabamın parası artık orada yaşamaya yetmiyor. Annem de onu AİLEMİZLE birlikte yaşaması için bize davet etti.

Babam, büyükbabam ONUN babası olduğu halde, bu fikre pek sıcak bakmadı. Ama annem tıpkı eski günlerdeki gibi olacağını, üç kuşağın aynı çatı altında yaşayacağını söylüyor.

Bence annem eski günlere toz pembe bakıyor ama ben eski günlerin nasıl olduğu konusunda ondan ÇOK FARKLI düşünüyorum.

Büyükbabamın bize taşınmasının benim için bir sakıncası yoktu, ta ki bunun BENİM için ne anlam ifade ettiğini anlayana kadar. Annem, büyükbabamın istediği odayı seçmesine izin verdi. Büyükbabam da BENİM odamı seçti.

Bu da benim kendime yatacak yeni bir yer bulmam gerektiği anlamına geliyordu. Önce konuk odasına gitmeyi düşündüm ama domuzun orada kaldığını unutmuşum. Odadaki kanepeyi bir ahır hayvanıyla paylaşmaya da HİÇ niyetim yoktu.

RODRICK'in odasını da hemen eledim çünkü onun da domuzdan pek bir farkı yok.

Geriye kalan tek seçenek, MANNY'nin odasıydı. Ben de şişme yatağı aldım ve onun odasında yere serdim. Ama Manny'nin odasında uyumanın da KENDİNE ÖZGÜ sıkıntıları vardı.

Annem, Manny'ye her gece uyumadan önce bir masal okuyor. Bazen bu masallar çok UZUN oluyor. Hatta son zamanlarda, Manny benim sinirlerimi bozmak için bulabildiği en kalın kitapları seçiyor.

YERDE BİR DELİKTE BİR TAVŞAN YAŞIYORMUŞ.

Büyükbabam bize taşındığından beri ortam biraz gergin. Büyükbabam, bunu açıkça söylemese de, annemle babamın çocuk yetiştirme biçimlerini pek onaylamıyor.

Annem, çok uzun zamandır Manny'ye tuvalet eğitimi vermeye çalışıyor ve "Yemekten Sonra Külotsuz" yöntemini deniyor.

Evet, yöntem TAM OLARAK bu.

HOP

Beklenen şu: Manny'nin SIKIŞTIĞINDA tuvalete koşması gerekiyor.

Ama Manny bütün gece, belden aşağısı çıplak halde ortalıkta dolaşıyor. Sonunda da oturma odasındaki koltuğun arkasına saklanıyor.

Babamın, Yemekten Sonra Külotsuz yöntemine pek bayıldığını sanmıyorum; ama en çok büyükbabamın da yanımızda olup buna tanık olmasına bozuluyor.

Büyükbabamın yanımızda olması babamı gerçekten strese sokuyor. Ne zaman birimiz yaramazlık yapsak, babam DAHA da geriliyor.

Babamın sinirini en çok bozan şey, KENDİ yapabileceğimiz bir şeyi annemden istememiz.

Dün annemden mikrodalgada ısıtılan böreklerden birinin paketini benim için açmasını istedim çünkü plastik paketleri açmakta hep zorlanıyorum.

Ama babam hemen konuya karıştı. Bana, ıssız bir adada bin tane mikrodalgada ısıtılan börekle yalnız kalsam açlıktan öleceğimi, çünkü paketleri açmayı beceremeyeceğimi söyledi.

Babama, ıssız bir adada bin tane mikrodalgada ısıtılacak börekle yalnız kalmamın çok düşük bir olasılık olduğunu söyledim; o da meselenin bu olmadığını söyledi.

Eğer bazı şeyleri KENDİ BAŞIMA yapmayı öğrenmezsem, "gerçek dünya"da tek başıma hayatta kalamazmışım.

Babamın nefret ettiği şeylerden biri de, annemin sabahları okula gitmek için hazırlanmama yardım etmesi. Annem, giyeceğim kıyafetleri bir gece önceden seçiyor ve yapmam gerekenleri unutmamam için bir pano hazırlayıp mutfağa astı.

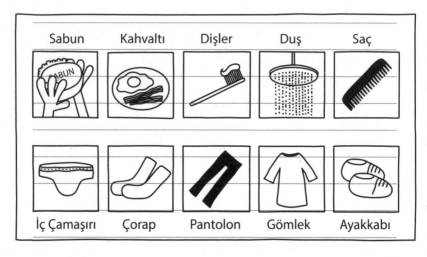

Sabun	Kahvaltı	Dişler	Duş	Saç
İç Çamaşırı	Çorap	Pantolon	Gömlek	Ayakkabı

Sanırım babam bu panodan çok utandı çünkü geçen gün indirdi onu. Ama sabahları bana rehberlik eden o pano olmayınca, her şeyi birbirine karıştırdım ve sonunda çoraplarımı ayakkabılarımın üzerine giydim.

Bugünlerde, babam benim bir şeyleri yanlış yapmamı BEKLİYOR galiba. Bu sabah, diş macununun kapağını kapatmayı unutmuşum. Hemen başımda bitti.

Ben bunun büyük bir mesele olduğunu düşünmüyordum ama babam, "küçük şeylerin nasıl büyük sonuçlar doğurduğu" hakkında uzun bir konuşma yaptı.

Eğer göçebe yaşanan zamanlarda olsaydık ve benim işim arabanın tekerleklerinin vidalarını sıkılaştırmak olsaydı ve bunu UNUTSAYDIM, tekerleklerin çıkıp gideceğini ve ailemi kurtların yiyeceğini söyledi.

Babam biraz abartıyordu bence ama ben yine de diş macunu kapağı yüzünden kendimi birazcık suçlu hissettim.

Ama babamın sinirlerini zıplatan sadece ben değilim. Son zamanlarda Rodrick de babamın damarına basıp duruyor.

Rodrick, ne zaman arabasının benzini bitse, annemden para istiyor. Ama birkaç gece önce, parayı büyükbabamın yanında isteme hatasına düştü.

Babam da bundan sonra Rodrick'in kendi benzinini kendisinin alması gerektiğini söyledi. Rodrick bunu nasıl yapacağını sorduğunda, babam ona bir İŞ bulmasının zamanının geldiğini söyledi.

Bunun üzerine annem, Rodrick'in kendisine nitelik ya da deneyim gerektirmeyen bir iş bulmak için gazetenin İş İlanları sayfasını taramasına yardım etti.

Sonunda bizim eve on beş dakika uzaklıktaki bir restoranın ilanını gördüler.

ARANIYOR!

Ekibimize katılacak hevesli çalışma arkadaşları aranıyor.

ESKİ GÜNLER DONDURMA SALONU'NDA

Eski Dost Tobias

Rowley'nin geçen doğum gününde Eski Günler Dondurma Salonu'na gitmiştim. Bu deneyimden sonra ÖMRÜM BOYUNCA dondurma görmek istemeyebilirdim.

Menüde "TIKABASA" diye bir tatlı vardı; uzun bir tepsiye kırk top dondurma koymuşlar. O kadar çok farklı dondurma çeşidini birbirine karıştırınca, gri bir bulamaca dönüşüyor.

Eski Günler Dondurma Salonu'nda bütün çalışanlar doğum günü şarkınızı söylemek için masanıza geliyor. Bu beni rahatsız etti çünkü bunu hiç de içlerinden gelerek yapmadıkları çok belliydi.

Rodrick hafta başında restoranla görüşmeye gitti ve ister inanın ister inanmayın, işe kabul edildi. Cumartesi ilk iş günüydü. Annem de hep birlikte gidip Rodrick'e sürpriz yapmamızın ve ona moral vermemizin iyi bir fikir olduğunu düşündü.

Ancak restorana gittiğimizde Rodrick'i hiçbir yerde göremedik. Annem çok endişelendi ama sonunda Rodrick'i arka tarafta bir yerde bulduk.

Annem, Rodrick'in çöp sorumlusu olmasından hiç hoşnut olmadı ve restoranın müdürüne de bu düşüncesini bildirdi.

Ancak müdür, Rodrick'in henüz "deneme" aşamasındaki bir çalışan olduğunu ve restoranda çalışan herkesin belirli aşamalardan geçmek zorunda olduğunu söyledi.

Eminim Rodrick bunun üzerine bizim hemen eve gitmemizi ve onu rahat bırakmamızı istiyordu ama annem orada kalmak istedi. Sonra, Rodrick on beş dakika mola verdiğinde, çalışanların dinlenme odasında onunla takıldık.

Rodrick gecenin geri kalanını çöpleri mutfaktan çöp konteynırına taşıyarak geçirdi. Annem de biz restorandan ayrılmadan önce onu bir kez daha görmek istedi. Bu yüzden garsona Manny'nin doğum günü olduğunu söyledi ve garson da bütün çalışanları masamıza çağırdı.

Ama keşke annem bunu yaptırmasaydı çünkü çöp suyunun kokusunda insanın iştahını kapatan bir şey var.

EĞER KARNIN ACIKTIYSA
EN DOĞRU YERDESİN
HADİ MUMLARI ÜFLE DE
HERKES DONDURMASINI YESİN

Pazartesi
Annem son günlerde, büyükbabamdan, bize onun çocukluğunda hayatın nasıl olduğunu anlatmasını isteyip duruyor.

Büyükbabam, kendisinin çocukluğunda televizyon filan olmadığını, bu yüzden çocukların zamanlarının büyük bölümünü dışarıda seksek gibi oyunlar oynayarak geçirdiklerini söylüyor.

Büyükler HEP seksek oynamaktan söz ediyorlar zaten. Bir keresinde biz de Rowley ile seksek oynamayı denedik ama otuz saniye sonra vazgeçtik.

Babam, kendisi çocukken, en yakın arkadaşı Giles ile birlikte hayal güçlerini kullandıklarını ve bütün gün ormanda oyun oynadıklarını anlatıyor.

Biz de bir keresinde Rowley ile hayal güçlerimizi kullanmayı denemiştik ama biz daha başlamadan Rowley'nin babası her şeyi bitirdi.

Babam, günümüzde anne babaların aşırı korumacı olduğunu söyledi. Kendisi çocukken, o ve Giles özgür takılırlarmış ve anne babalarına nereye gittiklerini söyleme zahmetine bile katlanmazlarmış.

Annem ise o zamanlar çok daha GÜVENLİ bir ortam olduğunu söyledi. Günümüzde, çocukların yanlarında bir yetişkin olmadan dışarıda dolaşmaları tehlikeliymiş. Babam bunun doğru olabileceğini ama Rowley ve benim gibi çocukların kendimizi nasıl KORUYACAĞIMIZI öğrenmemiz gerektiğini söyledi.

Babam dedi ki: Kendisi ortaokula giderken,
o ve Giles kasabanın her yerine malzemelerini
gömüyorlarmış. Böylece, köşeye kıstırılsalar bile,
mücadele edip kurtulabiliyorlarmış.

Ancak büyükbabam olayı tamamen FARKLI
yorumluyordu. Ona göre, babam ve Giles
mutfaktaki çatal ve bıçakları aşırıyor ve
ONLARI mahallenin her yerine gömüyorlarmış.

Babamın annesi, mutfak eşyalarının eksildiğini görünce, oğlanlardan hepsini gömdükleri yerden çıkarıp GERİ getirmelerini istemiş.

Ondan sonra, babam ve Giles PLASTİK eşyalara el atmışlar. Ama bir plastik kaşığın kendini savunmak için kullanılıp kullanılamayacağını tartışmaya başladıklarında, işler çirkin bir hal almış.

Giles, annesine babamın yaptıklarını anlatmış ve ona poposundaki plastik kaşık izlerini göstermiş. Sanırım zor zamanlarmış çünkü Giles'in annesi, babamı dizine yatırıp DÖVMÜŞ.

Gördüğünüz gibi, eski günleri o kadar da abartmamak gerek. İnsan hep İYİ şeyleri hatırlıyor ve en iyi arkadaşının annesinden nasıl dayak yediğini unutuyor.

Çarşamba

Sanırım ben büyükbabamın kısa bir süre daha bizimle birlikte yaşayacağını ve sonra kendine kalacak daha ucuz bir yer bulacağını düşünmüştüm. Ama şimdi TEMELLİ bizimle kalacağından endişelenmeye başladım.

Bu hiç hoş değil çünkü daha ne kadar süre Manny'nin oda arkadaşı olabilirim, bilmiyorum.

Bir kere akşam yemeğinden sonra külot giymeyen biriyle aynı odayı paylaşmak pek hoş değil.

Büyükbabamın da ondan pek farkı yok. Bizim eve taşındığında, kız arkadaşı Darlene de onu terk etti. Son zamanlarda, büyükbabam evin içinde bornozla dolaşıyor. Bu yüzden arkadaşlarımı eve çağıramıyorum.

Bence büyükbabam ne zaman oyuna geri dönerse, bizim evden o kadar çabuk taşınır. Bu yüzden, kendini bir an önce toparlaması için ona internette flört etmeyi öğretiyorum.

Ama sanırım bir CANAVAR yarattım. Artık büyükbabam günün yirmi dört saatini bilgisayar başında geçiriyor ve aynı anda devam ettirdiği EN AZ elli ilişkisi var.

Kimin kim olduğunu nasıl aklında tuttuğunu hiç bilmiyorum.

Belinda
Sana göz kırptı

Bethany
Seninle tanışmak istiyor

Martha
Senin profil resmini beğendi

Tiffany
Seni dürttü

Sylvie
Senin esprilerine bayılıyor

Marjorie
Seni çok hoş buluyor

Rodrick için de işler değişmeye başladı. Kendisi anneme işyerinde terfi ettiğini söyledi; bunun üzerine elbette ona desteğimizi göstermek için hepimiz arabaya doluşmak zorunda kaldık.

Rodrick'in yeni pozisyonunun TERFİ olduğundan emin değilim gerçi. Onu, restoranın maskotu Eski Dost Tobias gibi giydirmişler.

Meğer bu işi ondan önce yapan kişi, kafası yokken görüldüğü için kovulmuş. Sanırım söz konusu maskotlar olduğunda, bu çok BÜYÜK bir hata.

Eski Dost Tobias'ın restoranda masa masa dolaşması ve çocukları eğlendirmesi gerekiyor. Ama anladığım kadarıyla, bunun TAM TERSİ bir etkisi var.

İşin aslı, çocuklar Eski Dost Tobias'tan nefret ediyor gibi görünüyorlar. Bu gece oraya vardığımızda, Rodrick her taraftan ateşe tutulmuştu.

Rodrick anneme müdürün onu uyardığını, eğer kafasında Tobias'in başlığı olmazsa hemen işten kovulacağını anlattı.

Neyse ki kostümün başlığındaki gözlerden biri çıkıyor. Böylece Rodrick, susuzluktan ölmüyor hiç değilse.

HÜP

Acaba daha önce Eski Dost Tobias kılığına giren kişi BİLEREK mi kovuldu işten, çok merak ediyorum.

Eğer Rodrick'in bu işte ne kadar kalacağına dair bahse girmem gerekseydi, ona en fazla iki hafta verirdim.

Cuma

Gelecek ay Karabaht Çiftliği'ne yapılacak büyük geziyle ilgili okulda müthiş bir tantana kopuyor.

Bizim sınıfa gelen herkes, sınıfıyla birlikte bir hafta sonu bu geziye katılıyor. Ağaç kulübelerde kalıyor ve doğa ile ağır işler konusunda bilgi ediniyor.

Eğer böyle şeylere meraklıysanız bu harika olabilir; ama ben herkes yolculuğa çıkarken GERİDE kalan tek çocuk olmakta kararlıyım.

VINN

Sınıf arkadaşlarımın hepsi ormanda terlerken, ben okul kütüphanesinde modern dünyanın bütün nimetlerinin keyfini çıkaracağım.

Annem beni fikrimi değiştirmem konusunda ikna etmeye çalışıyor çünkü gitmezsem pişman olacağımı düşünüyor.

Ancak ben böyle bir şeyin olacağından kuşkuluyum. Karabaht Çiftliği'ne giden çocuklarla ilgili korku hikâyeleri okudum ve Rodrick'in oraya gittiğinde eve gönderdiği mektupları hatırlıyorum.

Hatta Rodrick bu deneyimden sonra travma yaşamıştı. Geziden eve döndüğünde yatağına girmiş ve bir hafta sonu boyunca da yataktan çıkmamıştı.

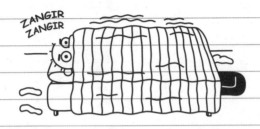

Bugün, aynı odada kalacağınız kişiyi seçmek için son gündü. Öğle yemeğinde herkes iyi bir yer bulmak için birbiriyle itişip kakışıyordu. Ben gitmemeye karar vermiş olduğum için memnundum çünkü bir de bütün bu kargaşayla uğraşmak istemiyordum.

Rowley için birazcık üzülüyordum çünkü o BENİMLE eşleşeceğine güveniyordu. Ben geziye katılmayacağımı söyleyince, o da odasını kendisiyle paylaşabilecek birini aramaya başladı.

Ancak öğle teneffüsünün sonunda, işler onun için pek de iyi gitmiyordu.

Yine de Rowley için daha fazla üzülecek halim yok çünkü benim ilgilenmem gereken KENDİ sorunlarım var.

Bu hafta eve, annemle babamı okula çağıran bir mektup geldi. Özel bir veli toplantısı düzenlenecekmiş.

Bütün hafta endişelenip durdum. Ödevlerimden birinin üzerinden Frew'un adını silip kendi adımı yazmayı unuttuğumu, bu yüzden başımın dertte olduğunu sandım.

Ama ÖYLE değilmiş.

Annemle babamı okula çağırmalarının nedeni, son zamanlarda ödev notlarımın çok yükselmesiymiş. Bu yüzden daha zor dersler almamı istiyorlarmış.

Eminim, Frew daha zorlayıcı ödevler yapacağı için sevinecek ama SINAVLARDA da yanımda olup bana yardım edecek değil ya! Yani onu bir şekilde okula sokmanın bir yolunu bulamazsam, derslerden asla geçer not alamam.

Annemle babam veli toplantısından eve döndüklerinde, annem "iyi haberi" kutlamamız gerektiğini söyledi.

Elbette Bu, Eski Günler Dondurma Salonu'na gitmemiz anlamına geliyordu.

Her akşam Rodrick'in işyerine gitmekten sıkılmaya başlamıştım, sanırım büyükbabam da aynı duyguları hissediyordu. Anneme, dondurma yediğinde boğazının ağrıdığını, bu yüzden evde kalmak istediğini söyledi.

Ben de aynı bahaneyi kullanmayı denedim ama annem gitmemiz konusunda ısrarcıydı.

Restorana girdiğimizde, Rodrick'i hiçbir yerde göremedik. Müdür, Rodrick'in işe gelmediğini söyledi.

Bunun üzerine annem PANİĞE kapıldı. Hep birlikte Rodrick'i aramaya çıkmak için arabaya döndük. Her yeri dolaştık ve sonunda Rodrick'i otoyolun kenarında yürürken bulduk.

Yanında durduğumuzda, Rodrick arabaya bindi ve olanları anlattı. Yolda çok kötü trafik varmış ve işe geç kalacakmış. O da DAHA HIZLI gidebilmek için ayrıcalıklı şeride girmiş.

Ancak ayrıcalıklı şeritte gidebilmek için kural, arabada en az İKİ kişinin olması.

Rodrick de, Eski Dost Tobias'in yanındaki koltukta oturuyor gibi görünmesini sağlamış.

Ne yazık kartal bakışlı bir polis onu durdurmuş.

Polis, bu durumdan hiç hoşlanmamış ve Rodrick'e yüz dolar ceza kesmiş. Sonra arabada başka eksikler de bulmuş. Kırık bir stop lambası, süresi geçmiş bir muayene etiketi filan.

Sonra, polis Rodrick'in arabasını bağlatmış ve Rodrick de yolun kenarında yayan kalmış. Tabii bu arada trafikte kalan arabalardaki çocuklar için TAM bir hedef olmuş.

Annem, babama arabayı eve doğru sürmesini,
Rodrick'in kostümünü çamaşır makinesine
atmak istediğini söyledi. Ama bizim sokağa
vardığımızda, yolun iki tarafına art arda park
etmiş arabalarla karşılaştık.

Bizim evimizin önündeki çim alana bile park etmiş
arabalar vardı. Çok garipti.

Biz de arabamızı yokuşun sonuna park etmek zorunda kaldık ve sokak boyunca yürüdük. Sonunda bahçemize vardığımızda, evden gelen gürültülü müziği duyduk.

Kapıyı açtığımızda, ÇILGIN bir partiyle karşılaştık.

ÇIN ÇIN

Büyükbabamı bulmak için kalabalığı yararak ilerlememiz gerekti. Büyükbabam arka tarafta, bizim eski jakuzimizin içindeydi. Ve görünüşüne bakılırsa, hayatının en keyifli zamanlarını geçiriyordu.

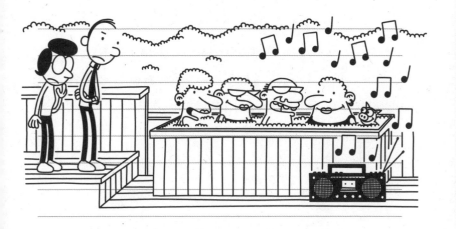

Babam evdeki herkesi kovdu. Ama bu ÇOK
UZUN zaman aldı çünkü hiç kimsenin gitmek
konusunda acelesi yoktu.

Herkes gittiğinde, babam parti verdiği için
büyükbabama çattı.

Büyükbabam, parti vermeyi planlamadığını söyledi. Flört sitesinden bir hanımı birlikte film izlemek için eve davet etmeye çalıştığını, ama yanlışlıkla "herkese gönder" tuşuna basmış olması gerektiğini anlattı. Sonra herkes aynı anda gelivermiş.

Babam sahiden çok kızgındı ama kendi babasına ceza vermenin ona garip geldiği belliydi.

Galiba aklına daha iyi bir fikir gelmediği için, büyükbabama bir süre hiçbir şey yapmadan oturma cezası verdi.

Keşke eve geldiğimizde partinin konuklarını eve gönderme konusunda daha dikkatli davransaymışız. Çünkü Manny'nin odasında kafalarını ancak ortalık yatıştıktan sonra çıkaran birkaç kaçak kalmıştı.

Salı

Büyükbabam bu partiyi verdiğinden beri, babam onun evde tek başına kalmasını pek istemiyor. KENDİSİ büyükbabamın yanında olamadığı zamanlarda da, BİZDEN bunu yapmamızı istiyor.

Büyükbabamın cezasını tamamlamak içn günde bir saat hiçbir şey yapmadan oturması gerekiyor. Ama o bunu bir köşede değil, televizyonun karşısında yapmak istiyor.

Yani, eğer büyükbaba nöbetindeyseniz, o ne izlemek isterse siz de onu izlemek zorundasınız.

Ancak okula gittiğimiz günlerde büyükbabam evde TEK BAŞINA kalıyor ve sanırım babam evde bir parti daha verilmesinden endişeleniyor.

Bu yüzden, kendisi işteyken evde saçma sapan şeyler olmaması için gidip bir webcam aldı.

Kamerayı tam olarak nereye koyduğunu bilmiyorum. Ama şunu BİLİYORUM: Kamerayı sadece BÜYÜKBABAMI gözlemek için kullanmıyor.

Ben teknolojiye bayılırım ama bana KARŞI kullanıldığı zaman değil. Evde bir kamera olmasını sevmiyorum çünkü günümüzde ne tarafa dönseniz kameralar var.

Ve eğer halka açık bir yerde utanç verici bir şey yaparsanız, inanın bana, kaydediliyor.

Ama en kötüsü, cep telefonu kameraları ve fotoğraf makineleri; çünkü artık HERKESTE var.

Geçen yaz kasabanın halka açık havuzundan çıkıyordum. Mayom biraz düştü ve herkes bunu gördü.

Ben daha kurulanmadan, resimler internette yayılmıştı bile.

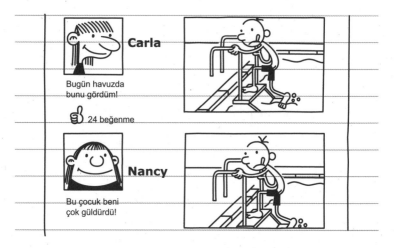

Bugünlerde, sırf KENDİ resminizi çektiğiniz için bile başınız derde girebilir. Birkaç ay önce, kiliseden sonra kahvaltıya gitmiştik. Restorandan çıktığımızda, dişlerimin arasında ıspanak kalmış gibi geldi.

Yakınlarda ayna yoktu. Ben de emin olmak için annemin cep telefonunu alıp kendi resmimi çektim.

Ama önümdeki kadın benim ONUN fotoğrafını çektiğimi sandı ve çekmediğimden emin olmak için, annemin telefonundaki bütün fotoğraflara bakana kadar oradan ayrılmamıza izin vermedi.

Şimdi düşünüyorum da, elektronik eşyalar olmadan yaşama fikri annemin aklına bu yüzden gelmiş olabilir.

Bu arada, annem dilekçesini belediyeye sunmak için gerekli sayıda imzayı topladı. Bunu, o akşam evimizden çıkan parti konuklarının yolunu kesip imzalarını alarak başardı.

Annem dilekçeyi belediyeye sunduktan sonra, yetkililer oylama yaptılar ve dilekçeyi onayladılar. BU yüzden, cumartesi günü kasabada gönüllü olarak bütün fişlerinin çekilmesine karar verildi.

Annem bu haberin olabildiğince çok insana ulaşmasını sağlamayı kendine görev edindi. Ben bu mesele tamamen bitene kadar olabildiğince geride durmaya çalışıyorum ama annem işimi hiç de kolaylaştırmıyor.

Bence dış dünyayla ilişkimizi kesmemiz kötü bir fikir. Eğer zombieler ortaya çıkarsa ya da ona benzer önemli bir olay olursa, en son biz duyacağız.

Cuma

Elektronik eşyasız hafta sonu kapsamında, yarın herkesin gönüllü temizlik için kasabanın parkına gelmesi gerekiyor.

Ama o karışıklığı temizlemek için bir öğleden sonra yetmez ki.

Bugünlerde park, nükleer savaşın yaşandığı bir filmden fırlamış gibi görünüyor.

Park eskiden güzel bir yerdi ama kasabanın parası bitince her şey değişti.

Asıl neden, parkta bir "sadece cep telefonu" yolu yapılmasına karar verilmesiydi. Çünkü NORMAL yoldan giden insanlar genellikle önlerine bakmıyorlardı.

Böylece, düzenli temizlik için harcanması gereken paranın hepsi, yürürken bir yandan da elektronik aletlerini kullanmak isteyen insanlara yeni yol yapılması için harcandı.

o kadar pahalıya patladı ki, derenin
ayalar için köprü tamamlanmadan
zorunda kaldılar.

Ondan sonra park gerçekten mahvoldu ve burayı
ergenler ele geçirince, aileler gelmeyi bıraktılar.
Bu yüzden eğer bu temizlik işini düzenleyenlerin
birazcık aklı varsa, yapacakları ilk iş, ergenler
üzerinde işe yarayan bir imha sistemi bulmak olur.

Cumartesi

Bu sabah kaçta uyandığım konusunda hiçbir
fikrim yok çünkü Manny'nin dolabının üzerindeki
saatin fişi çekilmişti. Daha doğrusu, evdeki HER
ŞEYİN fişi çekilmişti. Bu da annemin elektronik
eşyasız yaşama konusunu çok ciddiye aldığını
gösteriyordu.

Bundan sonra fark ettiğim şeyi, mahallede yürüyen BİR SÜRÜ insan olduğuydu. Demek herkes "eski günler" havasına girmeye karar vermişti.

Ben bütün gün dinlenmeyi ve kanepede uzanıp kitap okumayı planlıyordum ama babam bu "yaya trafiğinden" faydalanmam gerektiğini söyledi.

Kendisinin çocukluğunda, Giles ile birlikte bir limonata tezgâhı açtıklarını ve kendilerine birer kaykay alacak kadar para kazandıklarını anlattı. Ben de limonata tezgâhının HARİKA bir fikir olduğunu düşündüğümü söyledim.

Babam bana işe başlamam için "sermaye" olarak yirmi dolar verip beni şaşırttı.

Bir iş ortağına ihtiyacım olacağını biliyordum; ben de Rowley'yi aradım ve hemen gelmesini söyledim.

İşe internette limonata tarifi arayarak başlamamız gerektiğini düşünüyordum. Ama annem bilgisayarın güç kablosunu saklamıştı. Babama sormaktan utandım; bu yüzden Rowley ile başımızın çaresine bakmaya karar verdik.

Limona mutlaka ihtiyacımız olacağını biliyordum. Bu yüzden bisikletlerimize atlayıp markete gittik ve ellerindeki bütün limonları aldık.

Eve döndüğümüzde, tam olarak kaç limon kullanmamız gerektiğini bilmiyorduk. Biz de işi şansa bırakmamak için bol kullanmaya karar verdik.

Limon dışında mutlaka gerekli olan diğer malzemenin ŞEKER olduğundan emindim. Ama ne kadar şeker kullanmamız gerektiğini de bilmiyorduk. Biz de göz kararı kullandık.

Gayet iyi gittiğimizi düşünüyorum ki, babam aşağı indi, yaptıklarımızı gördü ve her şeyi yanlış yaptığımızı söyledi.

Babam öncelikle aldığımız YEŞİL limonların misket limonu olduğunu, bunları kullanmamamız gerektiğini söyledi.

Sonra da limonata yapmak için limonları İKİYE bölmemiz ve suyun içine sıkmamız gerektiğini açıkladı. Keşke bunları en başında biliyor olsaydık.

Ama Rowley limonları kesmekten çok korkuyordu çünkü gözleri sulanıyormuş. Ona limonları SOĞANLA karıştırdığını söyledim.

Bir faydası olmadı tabii. Bu konuda bir şey yapmam gerektiğini biliyordum yoksa bana yardımcı olmayacaktı.

Gidip garajı karıştırdım ve Rowley'nin gözlerini kapatması için bir maske buldum.

Rowley sakinleşince, limonları kesmeye başladık.
Bu düşündüğümden ÇOK DAHA zor bir işti.

İLK limonu dilimlediğimde, gözüme suyu sıçradı.

Gözüm O KADAR yanıyordu ki doğru dürüst
göremiyordum. Rowley ağzındaki şnorkeli çıkardı
ve "Ben sana demiştim" söylevine başladı. Ama
dinlemek istemiyordum.

Görme yeteneğimi yeniden kazandıktan sonra,
bütün limonları suyun içine sıktık ve kaldırımda
tezgâhımızı kurduk.

Birkaç kişi önümüzden geçerken durdu ama
sadece yaptığımız her şeyi eleştirdiler. Bir
kadın, şekerin iyice karışması için limonatayı
karıştırmamız gerektiğini söyledi. Ama biz bunu
yaptıktan sonra bile limonata almadı.

Limonatamızın tadına bakan bir adam fazla
TATLI olduğunu söyledi.

Daha sonra gelen birkaç kişi de aynı şeyi söyledi. Bunun üzerine sürahinin yarısını boşalttım ve biraz daha su ekledim. Ama suyu aldığım yer insanların pek hoşuna gitmedi tabii..

Bir adam, her müşteriye aynı bardakla limonata vermemizi sorun etti. Ona, her kullanımdan sonra bardağı çalkaladığımızı açıklasam da faydası olmadı.

Sıcak güneşin altında bir süre oturup sıkıldıktan sonra, limonata tezgâhının self-servis olarak da işleyebileceğine karar verdim. Tezgâha, insanların içtikleri limonatanın parasını bırakabilecekleri bir kavanoz koyduk.

Ama ne zaman güvene dayalı bir sistem kurmaya çalışsanız, biri çıkıp HERKES için her şeyi mahvediyor.

Limonata tezgâhının başından hiç ayrılmamamız gerektiğini anladık böylece. Mutfak dolabından bir bardak daha aldık ve yeniden dışarı çıktık.

Yokuş yukarı çıkan insanların, yokuş aşağı inenlere oranla daha fazla susamış göründüklerini fark etmeye başlamıştım. Bunun üzerine bundan faydalanmak için yeni bir fiyat politikası belirledik.

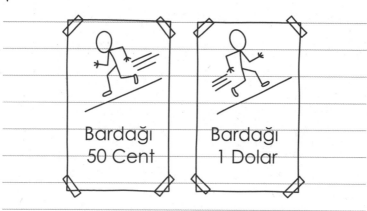

İki kişi, koyduğumuz kavanozun BAHŞİŞ için olduğunu sandı ve kavanoza bozuk para attı. Bunun üzerine daha fazla bahşiş toplamaya çalıştık çünkü bu şekilde kazandığımız para tamamen kârdı.

Tam işler yoluna girmeye ve keyfim biraz yerine gelmeye başlamıştı ki, Cedric Cunningham adında bir çocuk birkaç ev ötede KENDİ limonata tezgâhını kurdu.

Anne babasından yardım aldığı çok belliydi çünkü ONUN tezgâhının yanında bizimki ŞAKA gibi kalıyordu.

İşte, aklınıza orijinal bir fikir geldiğinde sorun bu. Beş saniye sonra bir milyon taklidiniz çıkıyor.

Ama ben profesyonelim ve küçük bir rekabet yüzünden pes edecek değildim. Cedric'e limonata tezgâhını kaldırması için iki papel teklif ettim. O da kabul etti.

Ancak bir dakika sonra tezgâhı yeniden kurdu. Bu kez sokakta tam karşımıza kurmuştu.

Çok canım sıkılmaya başlamıştı çünkü limonatamız bitiyordu ve babamın bize malzeme almamız için daha fazla para vermeyeceğini biliyordum.

Birden, eğer limonata yerine SU satarsak, bir sürü zorluktan kurtulabileceğimizi fark ettim.

Hem Cedric limonata piyasasını ele geçirmişti zaten; ÖZELLİKLE astığı yeni tabeladan sonra.

Ama şunu biliyordum: Eğer su satacaksak, insanların buna para ÖDEMEYE razı olması için çok özel görünmesini sağlamalıydık. Bunun üzerine kulağa müthiş gelen bir isim buldum ve Manny'nin bebek havuzunu suyla doldurdum. Böylece bir süre susuz kalmayacaktık.

Madem buna "form suyu" diyecektik, insanlara işe yaradığını göstermemiz gerekiyordu. Ben de Rowley'den tezgâhın önünde zıplama ve sıçrama hareketleri yapmasını istedim.

Ama sorun şuydu: Rowley pek şekilli bir vücuda sahip değil; bu da şirketimiz için kötü bir görüntü oluşturuyordu.

Neyse ki, biraz sonra çok şekilli bir vücuda sahip bir adam yokuşu tırmandı. Ona, eğer herkese NRG Form Suyu sayesinde formuna kavuştuğunu söylerse, kendisine birkaç papel vermeyi teklif ettim.

Ama sanırım yapması gereken daha önemli işler vardı; çünkü bize ilgilenmediğini söyledi.

Ne yazık ki konuşmalarımızı yokuş aşağı inen biri duydu ve ürünümüzün reklamını yapmaktan mutluluk duyacağını söyledi.

Acımasızlık etmek istemem ama bu adam kesinlikle bizim aradığımız görüntüye sahip değildi.

Onu uzaklaştırmak için, eğer herkese bizim suyumuzdan İÇMEDİĞİNİ söylerse kendisine üç papel vereceğimi söyledim.

Bu arada içecek konusunda hâlâ sokağın karşısındaki çocukla rekabet ettiğimizi fark ettim. Eğer doğru dürüst para kazanmak istiyorsak, işimizi yeni bir piyasaya taşımalıydık.

Buranın neresi olduğunu biliyordum: Kasaba parkı.

Orada büyük bir temizlik çalışması devam ederken, susamış BİR SÜRÜ insan olmalıydı. Biz de Rowley ile birlikte el arabasına yükleyebildiğimiz kadar ürün yükledik ve yokuştan aşağı indik.

Parka giden yolu yarılamıştık ki, Rowley çok susadığını ve bir şey içmesi gerektiğini söyledi. Ben durmak istemedim ama Rowley bayılacak gibi görünüyordu. Bunun üzerine ona bir şişe su verdim ve daha sonra parasını almam gerektiğini aklıma not ettim.

Parka vardığımızda, sanki bütün KASABA orada gibiydi. Herkes çok çalışıyordu ve hava da çok sıcaktı.

BONUS olarak, çeşme de bozulmuştu. Yani insanların susuzluklarını gidermek için başka seçenekleri yoktu. Rowley ve ben satış rekoru KIRACAĞIMIZDAN emindik.

ÇAK

Ne yazık ki annem bizi hemen fark etti ve neyin peşinde olduğumuzu sordu.

Ona, bize birkaç papel vermeye razı olan herkese form suyumuzdan satacağımızı söyledik.

Annem, cumartesi günlerini parkı temizleyerek geçirme fedakârlığını gösteren insanlardan fayda sağlamaya çalışmamızın çok "ayıp" olduğunu söyledi. Ona, suyumuzdan içen insanların İKİ KAT fazla çalışabileceğini, böylece bütün temizliğin çok daha çabuk biteceğini söyledim.

Annem ve ben tartışırken, çiçeklerle uğraşan kadınlar bütün malzememizi ele geçirmişlerdi.

Bizim bir şey yapmamıza fırsat kalmadan, form suyumuzun hepsini, sanki ucuz ya da bedava bir şeymiş gibi, toprağa döktüler.

Hızlı bir hesap yaptım ve en az iki yüz dolarlık kârımızın toprağa gömüldüğünü gördüm. Ancak kadınlar sanki bu hiç önemli değilmiş gibi, çiçeklerle ilgilenmeye devam ettiler.

Yine de, Rowley ile durumu düzeltmemiz için çok geç değildi. Boş şişeleri topladık ve yeniden doldurmak için dereye yöneldik.

Annem yolumuzu kesti. Rowley ile benim de temizlik çalışmasına katılmamızı istediğini söyledi ve işe başlamamız için bahçe aletlerini elimize tutuşturdu.

Ona bizim İŞ ADAMLARI olduğumuzu ve GERÇEK iş adamlarının bedava çalışmayacağını söyledim. Ama daha ben konuşmamı bitirmeden, Rowley yere çökmüş ve çiçek tohumlarını ekmeye başlamıştı bile.

Oradan bir an önce uzaklaşmalıydım, yoksa beni de esir alacaklardı. Ama annem karşıma dikildi.

Bana, küçüklüğümde her gün beni parka götürdüğünü, o günlerin ikimiz için en özel anılar olduğunu söyledi.

Eğer parkı temizlemezsek, BAŞKA annelerin KENDİ çocuklarıyla böyle özel anılarının olamayacağını anlattı.

Gördüğünüz gibi, annem beni nasıl ikna edeceğini ÇOK İYİ biliyor. Sonuç olarak, kendimi kamyonlar dolusu para kazanmak yerine, yerdeki yaprakları BEDAVA süpürürken buldum.

Annemin bana verdiği süpürge çok eski püsküydü. Ondan yenisini istedim ama bana herkesin elindekiyle yetinip iş yapmaya çalıştığını söyledi.

Yaprakları süpürüp bir yığın haline getirmek yarım saatimi aldı; sonra bir grup çocuk gelip yığını dağıttılar ve o kadar emeğim boşa gitti.

İnsanların çocukları neden park temizliğine getirdiklerini sormayın, ben de bilmiyorum. Çocuklar hiçbir işe yaramıyorlardı. Daha doğrusu, SÜREKLİ başlarını derde sokuyorlardı.

Bir ara, bir grup çocuk bir gübre yığınının içinde oynuyordu. Birinin onları oradan kovalayarak uzaklaştırması gerekti.

Parkı temizleme çalışması tamamen
DÜZENSİZDİ. Bu işi yöneten kimse yoktu, o
yüzden tam bir KAOS durumu vardı.

Bir otobüs otoparka girdiğinde ve içinden
turuncu tulumlu bir grup genç indiğinde, işler
daha da KARIŞTI.

Meğer bunlar hırsızlık ya da vandalizm gibi suçlar nedeniyle cezalandırılan kişilermiş. Bence oyun parkındaki aletlerin üzerine yazılan yazıların sorumluları da onların arasındaydı.

Kamu hizmeti için gelen gençler iş yapmaya pek de hevesli görünmüyorlardı. Yaptıkları şeylerden bazıları da kesinlikle TEHLİKELİYDİ.

Tam işler daha da kötüye gidemez derken, otoparka minibüsler girdi ve hepsinden bir Kız İzci birliğinin üyeleri indi.

Bu işten anladıkları belliydi.

On dakika içinde parktaki herkesi takımlara ayırdılar ve her takımdan bir kız izci sorumlu oldu.

Benim takımım oyun parkındaki yaprakların süpürülmesinden sorumluydu ve takımın sorumlusu Brownie harika biriydi.

Biraz utanç vericiydi ama dürüst olmam gerekirse, onların gelmesi ve herkesi düzene sokması beni MUTLU etmişti.

Ne zaman Kız İzcilerin bir projeye dahil olduğunu görsem ETKİLENMİŞİMDİR.

Birkaç ay önce, kasabada bir sera yapılması istendi ama kimse birlikte hareket edemediği için proje bir türlü gerçekleştirilemedi.

Ama sonra Kız İzciler girdi devreye ve bir pazar günü öğleden sonra her şeyi hallettiler.

Şunu söyleyebilirim: Eğer böyle bir şeyin sorumluluğunu benim yaşlarımda bir grup oğlana verseniz, sonuçta ortaya hiçbir şey çıkmaz. ÖZELLİKLE işin içinde güç gösterisi için kullanılacak aletler varsa.

Kız İzciler parka çalışmak için gelmiş olsalar da, yardım toplamak konusunda da hiçbir fırsatı kaçırmıyorlardı. Kurabiye satmak için tezgâh açtılar ve ilk müşterilerinden biri de ANNEM idi. Sanırım annem insanların parkta çalışan gönüllülere bir şeyler satması konusundaki fikrini değiştirmişti.

Bu gösteriyi Kız İzciler idare ettiği için memnundum ama bizi ÇOK çalıştırıyorlardı. Bir saat yaprak süpürdükten sonra, çok yoruldum ve eve gitmek istedim. Ama yerdeki son yaprak da süpürülmeden kimsenin gitmesine izin vermeyecekleri belliydi.

Bizim grupta biraz yorgun görünen bir diğer kişi de ev ödevi arkadaşım Frew idi.

Frew'un ne kadar akıllı olduğunu BAŞKA insanlar da fark etmeye başlamıştı ve normalde telefonlarından bakacakları şeyleri ona soruyorlardı.

Kız İzcilerin her yarım saatte bir grup değiştirdiklerini fark etmiştim. Ben de bir görev değişimi sırasında fırsatı değerlendirdim.

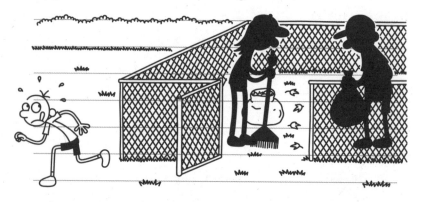

Nereye gittiğimi GAYET iyi biliyordum: Dereye.

Birinci sınıfta yüzme takımındayken, babam her gün beni kasabanın havuzuna bırakırdı. Ama o gider gitmez, ben dereye koşar ve antrenman bitene kadar balıkları seyrederdim.

Babam beni almaya gelmeden önce havuza geri dönerdim mutlaka. Hemen havuza atlar ve bütün bu süre içinde yüzmüşüm numarası yapardım.

HOP

Ama bir keresinde babam benim antrenmanımı iizlemek için ERKEN gelmiş. Sanırım ben de balıkları izlemeye dalmışım.

Sonuç olarak, havuza babamdan SONRA döndüm ve yakalandım.

Bugün de yine dereye gidip nefes alabileceğimi düşündüm.

Ama oraya vardıktan otuz saniye sonra, çalıların arasında birinin yürüdüğünü duydum.

Meğer Frew benim oyun parkından uzaklaştığımı fark etmiş ve beni TAKİP ETMİŞ.

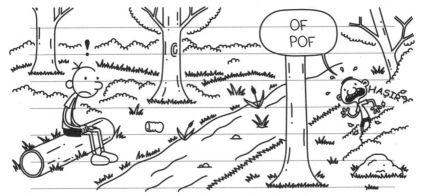

Frew, büyüklerin saçma sorularına bir dakika daha dayanamayacağını hissettiğini ve benim oradan ayrıldığımı görünce, bunun iyi fikir olduğunu düşündüğünü söyledi.

Biz konuşurken, BÜYÜK bir şeyin bize doğru geldiğini duyduk. Ben bunun bir AYI olabileceğini düşündüm ama kamu hizmeti cezalılarından biri olduğunu fark edince çok şaşırdım.

Aslında bu kişiyi tanıyordum. Adı Billy Rotner idi ve Rodrick'in grubu prova yaparken bizim bodrumda takılırdı.

Bir ay kadar önce, Rodrick'in bir arkadaşına Billy'nin marketten bir paket jöleli şeker çalarken yakalandığını söylediğini duymuştum.

Bu çocuğun da beni takip edip gizlenme yerime gelmesi hiç hoşuma gitmemişti. Billy'ye, hepimizin başı derde girmeden parka geri dönmesi gerektiğini söyledim.

Ama Billy kaçtığını ve bir daha kamu hizmeti cezasına geri dönmeyeceğini söyledi.

Sonra da çocukluğunda annesinin ona ve erkek kardeşine paylaşmaları için bir paket jöleli şeker aldığını, ama kardeşinin ona tek bir şeker bile vermediğini ve bütün paketi yediğini anlattı.

Billy, marketten şeker çalmasının tek nedeninin sonunda kendi şekerlerine sahip olma isteği olduğunu söyledi

Çocuğun anlattıklarını dinlerken bir tuhaf olmuştum. Onunla mantıklı bir konuşma yapmak konusunda Frew'un bana yardımcı olmasını umuyordum.

Ama Billy'nin konuşmasında bir şey Frew'u da darmadağın etmişti.

Frew, anne babasının haftanın her günü, Coğrafya çalışması için onu sabahın beşinde uyandırdığını, hiçbir zaman bilgisayarda oyun oynamasına izin vermediklerini, çünkü bunu zaman kaybı olarak gördüklerini söyledi.

Bütün bunlar bana biraz fazla gelmeye başlamıştı. Bu çocukların acıklı hikâyelerini dinlemektense, yaprak süpürmeyi tercih edeceğime karar verdim.

Böylece yeniden oyun parkına doğru yürümeye başladım. Ama birden karşıma Brownie çıkıverdi ve beni hazırlıksız yakaladı.

İçgüdülerim devreye girdi ve KAÇTIM. Frew ve Billy de benim kaçtığımı görmüşlerdi ve peşimden geliyorlardı.

Ama Brownie'nin elinde düdük vardı ve biraz sonra bütün Kız İzci Birliği peşimize düşmüştü bile.

Daha HIZLI koşmaya başladım ve birden bir suçluyu yanımızda sakladığımız için Frew ile benim başımızın derde girebileceğini fark ettim.

Kız İzci Birliği'nin kimseyi tutuklama yetkisi var mıydı bilmiyordum ama durup bunu öğrenmeye çalışacak değildim.

Tek bildiğim, kolluklarını hak etmek için bunu yapmaları gerektiği idi.

Kovalama devam ederken, Billy öne geçti ve Frew ile ben onu takip etmeye başladık. Billy'nin bu konuda deneyimli olduğu çok belliydi çünkü ne yaptığını çok iyi biliyor gibi görünüyordu.

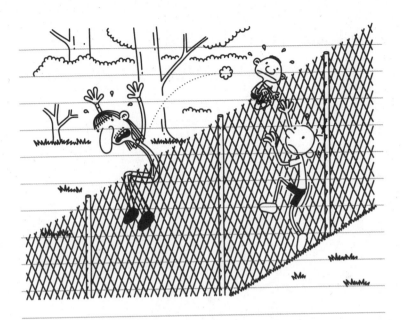

Bir süre sonra Kız İzciler ile arayı açmayı başardık ve onların düdük seslerini güçlükle duyar hale geldik. Bunun üzerine biraz nefes almak için durduk.

Billy, Kız İzcilere yakalanmamak için enerjiye ihtiyacımız olduğunu söyledi.

Sonra tulumunun cebinden kurabiye çıkardı ve üçümüz arasında paylaştırdı.

O kurabiyelerin parasını ödemiş olduğunu varsayıyorum çünkü eğer ÖDEMEDİYSE, bunu bilmek istemiyorum.

Kurabiyelerle beslendikten sonra, Billy giysilerimizi orada bırakmamız gerektiğini söyledi. Çünkü eğer bizi yakalamak için KÖPEKLERDEN yardım almaya kalkarlarsa, ancak bu şekilde onlardan kurtulabilirdik.

Birden düşündüm. Eğer bu çocuk bir paket şeker çaldıktan sonra bile yakalanmışsa, bu tür öğütleri bize verebilecek en son kişiydi.

Çok BÜYÜK bir hata yaptığımı anladım ve bu durumdan kurtulmak için bir yol aramaya başladım. Çocuklara dağılmamız gerektiğini, eğer bunu YAPARSAK bizi yakalamalarının daha zor olacağını söyledim.

Ama Frew BİR ARADA kalmamız gerektiğini söyledi.

Böylece ülkeyi dolaşıp çılgın maceralar yaşayabilir, hatta belki bir yerlerde bir sirke bile katılabilirmişiz.

Billy de bu fikri sevmiş gibiydi. Sonra ikisi, eğer ünlü olursak hikâyemizin film haklarından kazanacağımız parayı hangisinin alacağını tartışmaya başladılar.

Ben de bu fırsatı değerlendirip kaçmaya karar verdim. Ama tam arkamı dönmüştüm ki, karşıma arabalar çıkıverdi.

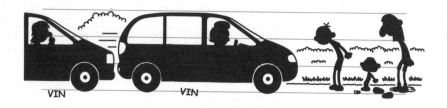

En öndeki arabada annem vardı. Arkadaki arabalar ise Kız İzciler ile doluydu.

Bir an Frew'un kaçmak için son bir denemede bulunabileceğini düşündüm.

Ama Frew hayatını kaçarak geçirmek konusunda yaptığı o uzun konuşmadan sonra, çoktan pes etmişti.

Annemin çok öfkeleneceğini sanmıştım ama RAHATLAMIŞ görünüyordu. Öyle kaçarak ne yapmaya çalıştığımı sordu.

Billy'nin başının ne olursa olsun derde gireceğini düşündüm. ÜÇÜMÜZÜN birden başının derde girmesine gerek yoktu. Ben de bütün suçu ONUN üzerine yıktım.

Sanırım kendimi biraz kötü hissediyorum. Ama adil olmak gerekirse, kurabiyeleri çalmak ONUN fikriydi.

Billy'ye ceza olarak ne kadar kamu hizmeti verecekler bilmiyorum. Ama o cezasını tamamladığında, ben ülkenin öbür ucunda bir üniversitede olmayı planlıyorum.

İşin en garip tarafı, annemin bizi BULMA şekliydi.

Annem, DOMUZ için GPS çipi satın alırken, BENİM için de almış. Yani son iki aydır hiç farkında olmadan, ayakkabı bağcığımda bu çiple dolaşıyormuşum.

Parkta ortadan kaybolduğumda, annem benim nerede olduğunu bulmak için TELEFONUNU kullanmış.

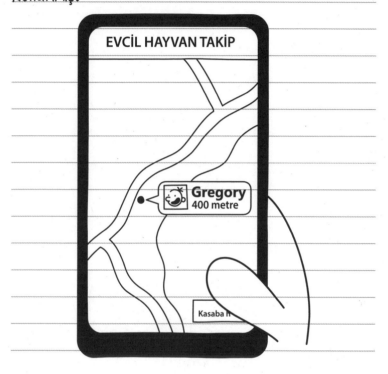

Ama şimdi annemin aşırı korumacı davranmasından şikâyet etme zamanı değildi. Çünkü eğer beni kurtarmaya gelmeseydi, kendimi Frew ve Billy ile birlikte gzgin bir sirkte bulabilirdim.

Ama yine de, annem elektronik eşyasız yaşama kuralına uymayı becerememişti.

EKİM

Cuma

Babam eskiden de bana takardı ama şimdi yüz kat daha KÖTÜ durumda.

Geçen hafta sonu yaşanan park olayından sonra, bana güvenilmeyeceğini düşündüğü çok belli. Evde olduğu zamanlarda büyükbabamla beni aynı odada tutmaya çalışıyor, böylece İKİMİZ de gözünün önünde oluyoruz.

Keşke şu webcam meselesinden haberim olmasaydı, çünkü sahiden paranoyak oldum. Evde birden fazla kamera bile olabilir.

Manny'nin oyuncak ördeğinin üzerinde bir kamera olduğundan eminim çünkü ördek gözleriyle sürekli beni takip ediyor sanki.

Eğer orada kamera yoksa, son birkaç gündür kendimi tam bir aptal durumuna düşürdüm demektir.

Neyse ki, annem bu sabah bir iş gezisine gidecek olan babamı havaalanına götürdü. Babamın evden uzakta olduğu bu süre boyunca beni gözetleyemeyeceğini biliyorum. Yine de ortalığı karıştırmamak için ekstra dikkatli davranıyorum; çünkü o webcamlerden biri kayıt filan yapıyor olabilir.

Bu sabah dişlerimi fırçalarken, diş macununun kapağını, babamın bana her zaman söylediği gibi kapattığımdan emin olmak istedim.

Ama parmaklarım kaygan olduğu için kapağı lavaboya düşürdüm.

Kapak birkaç defa zıpladı ve sonra da oluktan aşağı gitti.

Babamın iş gezisinden döner dönmez üst kata çıkıp banyoya gideceğini ve diş macununun kapağının kapalı olup olmadığına bakacağını biliyordum. Kapağı GERİ almak zorundaydım.

Yaptığım ilk şey pamuklu bir bezle kapağı o delikten yukarı çekmeye çalışmak oldu. Ama tek yapabildiğim bir tutam saç ve başka pislikler çıkarabilmek oldu.

Artık insanların lavabolarında neler olduğunu
bildiğim için, asla tesisatçı olmayacağımdan
eminim.

Pamuklu bezle diş macununun kapağını daha
da aşağıya itmiş olabileceğimi düşündüm. Bunun
üzerine lavabonun altındaki dolabın kapağını açtım
ve kapağın nereye gittiğini görmeye çalıştım.

Bodrum katta babamın tesisatçılık ile ilgili
kitaplarının olduğunu biliyordum. Belki de bu
işlerin nasıl yapıldığını adım adım açıklayan bir
kitap bulabilirdim.

Kitaptaki şekillerden hiçbir şey anlamayınca
kendi başımın çaresine bakmaya karar verdim.
Lavabonun altında plastik bir tüp vardı.
Diş macununun kapağının orada bir yerde
olabileceğini düşündüm.

Tüpü metal boruya bağlayan vidayı gevşettim ve tüp kolayca çıktı.

Sanırım vanayı filan kapatmam gerekiyormuş çünkü birden her tarafa su fışkırmaya başladı.

Vanayı kapatmam bir dakika sürdü. Lavabonun altından çıktığımda, banyonun yerinde kocaman bir su birikintisi vardı.

Havlularla yerdeki suyu silebildiğim kadar sildim.
Sonra çamaşır odasından biraz daha havlu almak
için alt kata koştum.

Ancak mutfağa girdiğimde, daha BÜYÜK bir
sorun olduğunu gördüm.

Büyükbabama suyun nereden geldiğini söyledim
ama pek ilgilenmiş gibi görünmedi. Tek
GERÇEK hasarın mutfak tavanındaki su lekesi
olacağını söyledi.

Büyükbabamın bunu büyük bir mesele olarak
görmemesine sevinmiştim. Ama babamın durumu
FARKLI değerlendireceğini biliyordum.

Büyükbabama bana yardım etmesi için yalvardım, o da kabul etti. Su lekelerini kapatan özel bir boya olduğunu, birlikte nalbura gidip alabileceğimizi söyledi.

Bu kulağa HARİKA geliyordu. Büyükbabam babamın arabasının anahtarlarını aldı ve arabaya bindik. Ancak geri geri çıkarken, büyükbabam bir çöp kutusuna çarptı.

Bunun pek sorun olmadığını düşündüm. Ama bir komşumuzun POSTA KUTUSUNA çarpınca endişelenmeye başladım.

En son ne zaman büyükbabamın kullandığı arabaya bindiğimi hatırlamıyordum. Birden aklıma geldi. Geçen yıl büyükbabamın ehliyetini elinden almışlardı.

O zamandan beri araba kullanmasına izin verilmiyordu.

Çok gerildim ve büyükbabama belki de eve dönmemizin daha iyi olacağını söyledim. Ama artık anayola çıkmıştık ve geri dönüş yoktu.

Mahalleden çıktığımızda, büyükbabam arabayı kullanmaya alışmış gibiydi. Ama yine de otoyola doğru döndüğümüzde, tedirgin oldum.

Neyse ki günün o saatinde araba kullanan pek fazla insan yoktu. Nalbur da pek uzak değildi.

İşin garip yanı, yolun kenarındaki bütün tabelalar yanlış yöne bakıyordu. Kafam karışmıştı.

Üzerimize doğru gelen iki araba görünce, büyükbabamın GİRİŞ yerine ÇIKIŞ yoluna saptığını ve ters yöne gittiğimizi fark ettim.

Büyükbabam var gücüyle frene bastı ve araba 180 derece dönerek emniyet şeridinde durdu. Bir yere çarpmamış olmamız MUCİZEYDİ ve neredeyse ölümden dönmüştük. Çok sarsılmıştık gerçekten.

Birden mutfak tavanındaki su lekesi o kadar da önemli bir sorun gibi görünmedi. Büyükbabam ile eve dönmeye karar verdik.

En azından şimdi doğru yöndeydik. Ama büyükbabam arabayı çalıştırınca birkaç metre gitti ve durdu.

Önce büyükbabam frenlere bastığında arabaya bir şey olduğunu düşündüm. Ama sonra benzin göstergesine bakınca, benzinimizin bittiğini fark ettim.

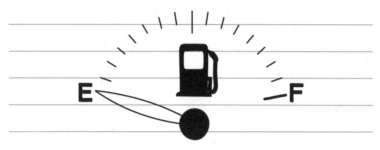

Önceki akşam Rodrick işe giderken arabayı kullanmıştı ve tabii ki benzin almamıştı.

Büyükbabam, bir kilometre ötede bir benzinci olduğunu söyleyen tabelayı gördü. Bana yürüyerek oraya gideceğini ve bir bidon benzin alıp döneceğini söyledi. Böylece eve geri dönebilecektik.

Ben de onunla birlikte gitmek istedim ama bana arabada kalmam gerektiğini, böylece trafik görevlilerinin arabayı çekemeyeceğini söyledi. Bu fikre bayılmamıştım ama tek seçeneğim bu gibi görünüyordu.

Büyükbabam yayan yola koyuldu. Orada BİR SAAT beklemiş olmalıyım. Endişelenmeye başlamıştım. Derken dikiz aynasından baktım ve uzakta bir şey gördüm.

Bir grup insan yolun kenarından yürüyerek arabaya doğru geliyordu. Önce heyecanlandım çünkü yardım edebileceklerini düşündüm.
Ama sonra turuncu tulumlarını görünce DONAKALDIM.

Bunlar kamu hizmeti cezalılarıydı ve bana doğru geliyorlardı.

Yaklaştıklarında, içlerinden birinin Billy olduğunu fark ettim. Önce kaçmayı düşündüm ama sonra dışarı çıkmamaya karar verdim.

Aklıma gelen tek şeyi yaptım. Kapıları kilitleyip saklandım. Arabanın içinde pek fazla saklanacak yer yok gerçi ama gösterge panelinin altına girip hareketsiz durdum.

Sonra nefesimi tutup dua ettim. ÇOK UZUN bir süre sonra çocuklar nihayet arabanın yanına vardılar ve buranın yemek molası için iyi bir yer olduğuna karar verdiler.

Kamu hizmeti cezalıları, yemeklerini bitirince yollarına devam ettiler. Ama arkalarında bir sürü dağınıklık bıraktılar. Bu da onların yol temizleme görevlerini pek ciddiye almadıklarını gösteriyordu.

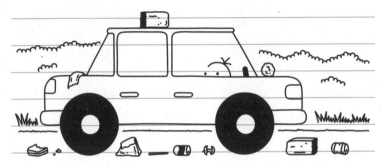

Onların gittiğinden emin olduğumda, doğruldum. Ama bacaklarımın ikisi de onca zaman o şekilde durduğum için uyuşmuştu. Kalkabilmek için orta konsoldaki kola tutundum.

Ama kol hareket etti; o HAREKET edince araba da hareket etti.

Yanlışlıkla vites değiştirmiştim. Araba ilerlemeye başladı.

Araba hızlanıyordu; ben de frene bastım. Ama fren kilitlendi ve araba ilerlemeye devam etti. Trafiğe çıkıp birine çarpmaktan korkuyordum.

O sırada büyükbabamın emniyet şeridine doğru yürüdüğünü gördüm ve PANİĞE kapıldım.

Direksiyonu sola çevirdim ve büyükbabamın yanından kılpayı geçtim. Ama araba bir hendeğe girdi. İki saat sonra annem yanında bir çekici ile gelene kadar da orada kaldı.

Şimdiki aklım olsaydı, diş macununun kapağının olukta kaybolup gitmesine izin verirdim.

Pazartesi
Anneme, babam eve döndüğünde ona arabaya olanları anlatmaması için yalvardım.

Ama annem, arabanın çamurluğu ezildiği için, babamın bunu ZATEN fark edeceğini söyledi.

Tek seçeneğimin kasabadan uzaklaşmak olduğuna karar verdim. Bunu yapmanın en mükemmel yolunu düşündüm.

Karabaht Çiftliği gezisi bugün başlıyor ve bir HAFTA sürüyor. Sanırım ben geri döndüğümde babam sakinleşmiş olur, en azından biraz.

Anneme, gezi konusunda fikrimi değiştirdiğimi söyledim. O da çok heyecanlandı.

Hâlâ gitme şansım olduğundan emin olmak için okulu aradı. Neyse ki hâlâ birkaç kişilik yer vardı.

Çantamı karıştırdım ve yanıma neler almam
gerektiğini görmek için, geçen ay gönderdikleri
listeyi buldum.

Karabaht Çiftliği
Malzeme Listesi

~~Böcek ilacı~~	~~Kot pantolon~~
Yürüyüş ayakkabısı	Naylon torba
~~Yağmurluk~~	~~Güneş koruyucu~~
Matara	Tuvalet malzemeleri
~~Sefertası~~	Yün çorap

Eleaktronik Alet YOK
~~Abur Cubur YOK~~

Dışarı çıkıp bütün bunları satın almak için
çok geçti. Annem garajda Rodrick'in yıllar
önce geziye giderken kullandığı ve sonra da
boşaltmadığı sırt çantasını buldu.

Çantada yürüyüş ayakkabısı, yağmurluk,
matara, böcek ilacı ve listedeki diğer şeylerden
bazıları vardı. Bu harikaydı.

Ama çanta leş gibi KOKUYORDU çünkü içinde yarısı yenmiş bir sandviç kalmıştı ve sandviçin üzerinde bir şey büyümüştü sanki.

Kamptaki yemek durumu konusunda biraz endişeliydim. Çantamda birkaç şeker, çikolata götürmeyi denemek istiyordum ama YAKALANIRSAM cezanın ne olacağından emin değildim. Ben de şeker ve çikolataları, ben dönene kadar kimsenin yememesi için, çorap çekmecemde saklamaya karar verdim.

RAHATIM söz konusu olunca risk alamazdım ne de olsa.

Rodrick'in çantasına üç paket ıslak mendil koydum; bu durumda yağmurluğa yer kalmıyordu ama olsun.

İslak mendil paketlerini çantanın en altına yerleştirdim çünkü annemin onları yanımda götürdüğümü görmesini istemiyordum.
Annem ıslak mendillerin herkesin her gün kullanamayacağı kadar pahalı olduğunu söylüyor ve bunları MANNY için saklıyor.

Anlıyorsunuz değil mi, büyüyünce zengin olmak istememin nedeni bu işte. Bir sürü param olduğunda, istediğim kadar ıslak mendil alabilirim.

Ama kendi param olana kadar, Manny'nin
malzemelerini aşırmak zorundayım.

Tam yola çıkmaya hazır olmak üzereydim
ki, büyükbabam bana yardımcı olabileceğini
söyleyerek bir kitap verdi.

Bu kitabın çocukluğunda kendisine ait olduğunu,
sonra babam benim yaşımdayken ona verdiğini
söyledi. Şimdi de kitabın benim olmasını istiyordu.

136

Bana biraz modası geçmiş bir kitap gibi geldi ama büyükbabamın duygularını incitmek istemiyordum. Bu yüzden ona kitabı yanıma alacağımı ve ilk fırsatta okuyacağımı söyledim.

Çantamda ancak kitabın sığabileceği kadar yer kalmıştı. Ben de ıslak mendillerin üzerinde ne kadar çok şey olursa o kadar iyi olacağını düşündüm.

Ama annem bu sabah beni okula bıraktığında, gezi için son derece HAZIRLIKSIZ olduğumu fark ettim.

Herkes yanına bir sürü malzeme almıştı; ben kendimi yanımda hiç eşya yokmuş gibi hissediyordum.

Bütün eşyalar otobüse yüklendiğinde, çantalar otobüsün nerdeyse yarısını kaplamıştı.

Bu yüzden koltuklarda ikişer kişi oturmamız gerekiyordu ve buda Karabaht Çiftliği'ne giden yolun olduğundan çok daha uzunmuş gibi gelmesine neden oldu.

Sonunda oraya vardığımızda ve ana giriş kapısından girdiğimizde, çok rahatladım. Ancak bundan sonrası da pek kolay değildi çünkü burası toprak yoldu.

Biz otobüsten indiğimizde, bir başka okulun öğrencileri oradan ayrılıyordu. Ve çiftlikten bir an önce uzaklaşmak için can atıyor gibi bir halleri vardı.

Arka tarafta bir çocuk elinde, benim için hiçbir anlam ifade etmeyen, elde hazırlanmış bir tabela tutuyordu.

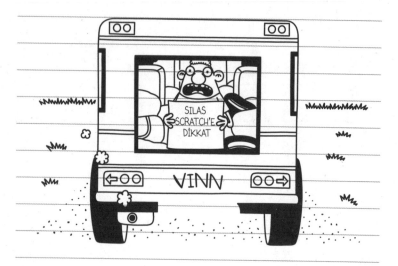

Sınıf arkadaşlarımdan ikisi, bunu görünce çok korktu. Yanımda duran çocuk, ağabeyinin birkaç yıl önce Karabaht Çiftliği'ne gittiğini ve ona Silas Scratch'i anlattığını söyledi.

Meğer bu Silas Scratch uzun zaman önce Karabaht Çiftliği'nde yaşayan bir çiftçiymiş. Ama sonra kont gelmiş ve onu topraklarından kovmuş.

Bir başka çocuk araya girdi ve kendisinin de Silas Scratch'in ormanda yaşamaya başladığını, sümüklüböcek ve yabani meyve yiyerek hayatta kaldığını duyduğunu söyledi. Sonra Melinda Henson, Silas'ın DELİRDİĞİNİ ve tırnaklarını çok uzattığını duyduğunu anlattı.

Uzun tırnaklarla ilgili kısmı hiç duymasam da olurdu aslında çünkü böyle şeyler ödümü patlatıyor benim.

Gözetmenlerden biri, Bay Healey, KENDİ sınıfı Karabaht Çiftliği'ne gittiğinde, Frankie adında bir çocuğun ormanda Silas Scratch'in kulübesiyle karşılaştığını, o günden sonra da bir daha eskisi gibi olmadığını söyledi.

Daha önce Silas Scratch'i hiç duymayanlar bile artık onu tanıyorlardı çünkü hikâye kulaktan kulağa yayılıyordu.

Ben bu Silas Scratch meselesini rahatsız edici bulmuştum.

Şunu kesin söyleyebilirim: Eğer daha önce biri bana Karabaht Çiftliği'nin topraklarında dolaşan deli bir çiftçi olduğunu söyleseydi, evde kalır ve babamla yüzleşmeyi tercih ederdim.

Otobüsü boşalttıktan sonra, eşyalarımızı ana kulübeye taşıdık. Burası, içinde uzun masaların olduğu, ağaçtan, kocaman bir kulübeydi.

Sorumlu kişi Bayan Graziano idi. Bayan Graziano, herkes oturduktan sonra kamp kurallarıyla ilgili bir konuşma yaptı. BİR SÜRÜ kural vardı. Bayan Graziano en önemlisinin, kızlarla oğlanların birbirlerinin kulübelerini ziyaret etmesinin yasak olması olduğunu söyledi.

Bayan Graziano, bunun Karabaht Çiftliği'ne on dokuzuncu gelişi olduğunu ve kimseden herhangi bir saçmalık duymak istemediğini söyledi. Sonra gözetmenlerden, herkesin çantalarını aramalarını ve kimsenin yanında abur cubur ya da elektronik alet getirmediğinden emin olmalarını istedi.

Birkaç çocuğun çantasındakilere el kondu. Mike Barrows sırt çantasında cips getirmişti; Diane Higgins ise kocaman bir çikolata parçacıklı kurabiyeyi midesine indirmeye çalışırken yakalandı.

Ben şeker ve çikolatalarımı evde bıraktığıma gerçekten çok sevinmiştim. Ama gözetmenlerin ıslak mendillerime el koymaya çalışmasından endişeleniyordum. Neyse ki Bay Jones çantamdan yükselen berbat kokuyu alınca, pek fazla karıştırmak istemedi.

Sosis, patates püresi ve doldurulmuş biberden ibaret olan öğle yemeğimizi yedik. Eğer bunları sevmiyorsanız, başka seçeneğiniz yoktu ve şanssızsınız demekti.

Yemek bittiğinde, gözetmenler tabaklarımızda arta kalanları dev bir kaba boşaltmamızı istediler.

Ben doldurulmuş biberime dokunmadığım için, onu kaba döktüm.

Bay Healey'e, arta kalan yemekleri neden çöp kutusuna değil de bir kaba döktüğümüzü sordum. O da Karabaht Çiftliği'nde hiçbir yemeğin ziyan edilmediğini, bu yemekte yemediğimiz yiyeceklerin BİR SONRAKİ yemeğe katılacağını söyledi.

Kendisi çocukken bu kampa geldiğinde de aynı yöntem uygulanıyormuş. Ve hâlâ aynı kabı kullanıyorlarmış. Yani kabın içinde OTUZ yıl öncesinden kalma yemek artıkları olabilirdi.

Yemekten sonra, Bayan Graziano ve kadın gözetmenler, kızları kampın diğer tarafındaki kulübelerine götürdüler.

Annem de son dakikada gözetmen olmak istemişti ama sonra Manny'yi Rodrick ve büyükbabama bırakmayı göze alamamıştı. Bu kötü oldu çünkü burada olsa, bana kızlar tarafından bilgiler getirebilirdi.

Biz oğlanlar, kulübe ile ilgili görevlerimizi öğrenmek için kafeteryada kaldık. Grupların çoğu, okulda birlikte takılan çocuklardan oluşuyordu; ama her kulübede DIŞARIDAN bir çocuk vardı sanki.

Okul, sorun çıkaran, yaramaz öğrencileri dağıtmaya karar vermişti anlaşılan; böylece bir kulübede birden fazla belalı olmayacaktı.

Birden fazla belalı öğrencinin olduğu tek grup Bay Nuzzi'nin grubuydu. Ama Bay Nuzzi gardiyan olarak çalışıyor. Bu yüzden sanırım idare edebilirdi.

Ben geç kayıt yaptırdığım için, aralarında Rowley'nin de bulunduğu ARTA KALANLAR grubundaydım.

Rowley ile aynı kulübede kalacağım için seviniyordum ama gözetmenin onun BABASI olmasından memnun değildim. Bay Jefferson beni pek sevmez; ben de bir HAFTA boyunca onun denetimi altında olmaya bayılmıyordum.

Bizim kulübemiz dışardan pek bir şeye benzemiyordu ama içi daha da BETERDİ.

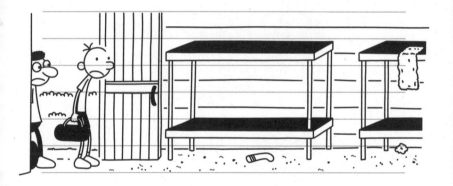

Gruptaki çocuklardan biri, Julian Trimble, iyice zorlanacağa benziyordu; çünkü kapıdan içeri girer girmez dudağı titremeye başlamıştı.

Julian'ın bu geziye gelmeye karar vermesine şaşırmıştım zaten çünkü daha önce anne babasından bir gece bile ayrı kalmadığından emindim.

Julian her sabah okula bırakılırken en çok
yaygara koparan çocuklardan biri olmuştu. Bir
keresinde, ikinci sınıftayken, annesine öyle
sıkı yapışmıştı ki, müdür yardımcısı gelip onları
ayırmak zorunda kalmıştı.

Julian'in bu geziye gelmeye KENDİSİNİN
karar verdiğini düşünmüştüm ama sabah okulda
yaşanan sahneyi hatırlayınca, annesinin onu
kandırıp kandırmadığını merak etmeye başladım.

Herkes eşyalarını boşaltmaya başladı ve ben de neden herkesin kocaman çantalarının olduğunu anladım...

Çarşaf ve yatak örtüleriyle ilgilenileceğini sanmıştım ama sanırım böyle bir yer için fazla umut beslemişim.

Yanımda getirdiğim, yastığa en yakın şey kapüşonlu polarımdı ve o da Rodrick'in salamlı sandviçi gibi kokmaya başlamıştı.

Üzerinde garip lekelerin olmadığı bir yatak bulmak çok zordu. Ben ranzanın üst katını seçtim çünkü Julian'ın altını ıslatma ihtimali yüzünden altta olma riskine giremezdim.

Ne yazık ki benim ranzamın alt katında Bay Jefferson yatmaya karar verdi. Yani Rowley'nin babası şimdi benim ranza arakadaşımdı.

Eşyalarımızı boşalttıktan sonra, "takım kurma" çalışmaları için faaliyet alanına gittik.

İlk önce "güven testi" yaptık. Bu Testte biri kendini geriye bırakıyor ve diğer herkesin onu tutması gerekiyor. Sanırım burada amaç, takım arkadaşlarımızın nasıl bizim arkamızda durduğunu anlamak.

Ama Jordan Lankey sırt üstü düştü çünkü biz o sırada nerede duracağımızı belirlemeye çalışıyorduk.

Bay Jefferson bize karşılıklı iki sıra halinde durmayı ve birbirimizi bileklerimizden tutarak "ağ" oluşturmayı gösterdi. Böylece Jeffrey Swanson platforma çıktığında, biz de onu tutmaya hazır olduğumuzu düşündük.

Ama Jeffrey iri yarı bir çocuk; onun ağırlığı Rowley ve Gareth Grimes'in sendeleyip birbirlerine çarpmalarına neden oldu.

Gareth'in ön dişlerinden biri eksikti; herkes yerde onu aramaya başladı. Sonra Emilio Menoza dişi, Rowley'nin ALNINDA buldu.

Bay Jefferson, Emilio'ya koşup hemşireyi çağırmasını söyledi. Hemşire de Gareth'a kanamayı durdurması için nemli bez getirdi.

Ama Rowley'nin alnındaki dişi çıkaramadı çünkü diş oraya saplanıp kalmıştı.

Bay Jefferson, Rowley'yi alıp doktora götürmesi için karısını aradı. Rowley'nin annesi onu doktora mı yoksa dişçiye mi götürdü bilmiyorum çünkü böyle bir durumda ne yapıldığı konusunda hiçbir fikrim yok.

Böylece Bay Jefferson, KENDİSİNİN olmayan bir grup çocuğa gözetmenlik yapmak zorunda kaldı. Bize bir takım olarak çalışmayı öğretmesi gereken egzersizlerin hepsini yaptırdı. Ama bu egzersizler bize sadece bu konuda ne kadar KÖTÜ olduğumuzu gösterdi.

"Kova tugayı" adında bir egzersiz yaptık. Bunun için nehirden kulübemize kadar suyu elden ele taşımak için bir sıra oluşturmamız gerekiyordu.

İlk çocuk kovasını dolduruyor, sonra ikinci çocuğun kovasına boşaltıyordu. Bu böyle devam ediyordu.

Ama yol boyunca o kadar çok suyu döktük ki, kulübeye vardığımızda, doldurmamız gereken metal küvete koyacak hemen hiç su kalmamıştı.

Eğer bu egzersizi bitirmek istiyorsak, metal küveti doldurmanın daha iyi bir yolunu bulmamız gerektiğini fark ettik. Yaratıcı düşünmeye çalıştık ve terli giysilerimizi çıkarıp sıktık.

Sonra, bileklerimizi atkılarla birbirine bağladığımız ve halatlarla yapılmış bir dizi engeli aşmaya çalıştığımız bir alıştırma yaptık. Ancak fiziksel faaliyetler söz konusu olduğunda, bizim grup umutsuz vakaydı.

Halat egzersizinden sonra, atkıları çözemedik çünkü çok sıkı düğümlemişiz. BU hiç iyi olmadı çünkü Jeffrey'nin kulübedeki tuvaleti kullanması gerekiyordu.

Günün sonunda herkes iyice yorulmuştu. Bay Jefferson bize yemek vaktinin geldiğini söylediğinde çok sevindim.

Yemek tavuk, mısır ve güveçten oluşuyordu. Ben güveç almadım ve Jordan'ın tabağından bir kabuklu böcek çıktığını görünce de almadığıma çok memnun oldum. KİM BİLİR o şey hangi yıldan kalmıştı.

Yemekten sonra yeniden kulübeye döndük. Bay Jefferson, ormanda olduğumuza göre, birbirimizin üzerinde kene olmadığını kontrol etmemiz gerektiğini söyledi. Herkes kendi ranza arkadaşından sorumluydu. Bu da benim Bay Jefferson'dan sorumlu olduğum anlamına geliyordu.

Ama Bay Jefferson çok kıllıydı ve ben bütün o kılların arasına bakmak istemedim. Çünkü bu kadar kılın içinde bir kene KOLONİSİ yaşıyor olabilirdi.

Herkes dışarıda vakit geçirmenin ne kadar güzel olduğunu söyleyip duruyor ama dışarıda insanı endişelendirmesi gereken her türlü sürüngen ve börtü böcek var.

Ben de eskiden sürekli ormanda oynardım, ta ki canlı bir örümceği yutana kadar.

Ama Karabaht Çiftliği gibi bir yerde, İÇERDE de DIŞARDA da böcekler var. Akşam yemeğinde çocuklardan birinin kulağına böcek girdi; biz de çıkarması için hemşireyi çağırmak zorunda kaldık.

Jordan, Julian'ın boynunda bir kene bildu ve herkesin ödü patladı. Ama Bay Jefferson, Julian'a bir şey olmayacağını söyleyerek onu hemşireye götürdü.

Bay Jefferson ve Julian gider gitmez, kulübede kalanlar ÇILDIRDI.

Ben herkesten uzak durmaya çalıştım çünkü bizim grupta aynı gün içinde hemşireye görünmek zorunda kalan beşinci kişi olmak istemiyordum.

Bay Jefferson geri döndüğümde, kulübenin altı üstüne gelmişti ve herkes LEŞ GİBİYDİ.

Sanırım buranın yerleri daha önce hiç temizlenmemişti çünkü oğlanlar yerde yuvarlanırken pislik ve tüy içinde kalmışlardı.

Bay Jefferson, kulübeyi bu hale getirdiğimiz için ceza olarak ERKEN yatmak zorunda olduğumuzu söyledi ve ben HİÇBİR ŞEY yapmadığım halde aynı cezayı bana da uyguladı. Böylece, çiftlikteki ilk gecemizde, dışarda hava daha aydınlıkken uyumak zorunda kaldık.

Salı

Bay Jefferson herkesi şafak sökerken uyandırdı ve hepimizin kahvaltıdan önce duş almamız gerektiğini söyledi.

O anda banyoda duş olmadığını fark ettim. Duş, kulübenin DIŞINDA idi; su da dün kova tugayı çalışması ile doldurduğumuz metal küvetteydi.

O küvetin içinde NE olduğunu hatırlayan tek kişi bendim galiba; çünkü diğer herkes yıkanmak için sıraya girmişti.

Su yalnızca SAĞLIĞA ZARARLI değil, aynı zamanda BUZ gibiydi.

Ama ben hazırlıklı gelmiştim. Bu gezide dışarıda duş alacak değildim ama kendimi TEMİZ tutabilirdim.

Kahvaltı da yediğimiz ilk iki yemekten daha iyi değildi. Ama en azından GÜVEÇ yoktu. Krepler KAYA gibi sertti gerçi ve ısırmaya kalktığınızda dişiniz kırılabilirdi.

Emilio kreplerden birini cebine sakladı. Bunu annesine gönderecek ve kampta yemeklerin ne kadar kötü olduğunu kanıtlamış olacaktı.

Kahvaltıdan sonra ortalığı topladık ve Bay Graziano bize günlük planı anlattı.

Uzun zaman önce bu çiftlikte yaşayan çocukların yaptığı türden işler yapacağımızı söyledi.

Eskiden çocuklar sabah kalktıkları andan itibaren güneş batana kadar çalışırlarmış. Ailelerine dışarıdaki işlerde yardım edecek kadar büyüdükten sonra da çalışmaya başlamak zorunda kalırlarmış.

İşte o zamanlar yaşamadığıma sevinmem için bir neden DAHA.

Benim grubum ahırda çalışmaya başladı. Görevimiz, saman balyalarını binanın bir ucundan diğerine taşımaktı. Bu GERÇEKTEN zor bir işti ve her gün bu işleri yapmak zorunda olan çocuklara saygı duyuyordum.

İşimiz BİTTİĞİNDE, herkes kendini büyük bir iş başarmış gibi hissetti.

Bir sonraki görevimize geçmeye hazırlanırken, Bay Nuzzi'nin grubu ahıra geldi. Takımının görevinin, saman balyalarını binanın bir ucundan diğerine taşımak olduğunu söyledi. Yani balyalar BAŞLANGIÇTAKİ yere döneceklerdi.

Neden bu kadar zahmete katlanmak zorunda olduğumuzu hiç anlamadım.

Yani, çocuklara böyle şeyler yapmamak gerek. Ben birinci sınıftayken, öğretmenim bana beni gizli bir göreve göndereceğini söylemişti. Sonra da koridordaki bir başka öğretmene iletmem için bir not vermişti.

Ondan sonra her gün, öğretmenim bana birine teslim etmem için BAŞKA BİR not verdi.

Bir gün o notlarda ne yazdığını merak ettim ve birini açtım. Ama içi boştu.

Meğer annem, öğretmenime benim "özgüvenim" konusunda endişelendiğini söylemiş. Bütün bu gizli görev meselesi, benim kendimi ÖNEMLİ hissetmem içinmiş. Yani eğer benim işleri ciddiye almak konusunda neden zorluk çektiğimi merak eden varsa, her şey böyle başladı işte.

Bizim takım günün geri kalanını bir görev yerinden diğerine geçerek geçirdi. Çitleri boyadık, bir taş duvarı onardık ve ana kulübeye odun depoladık.

Şunu söyleyebilirim: Büyüyünce KENDİME bir çiftlik alacağım ve oraya bir kamp kuracağım. Çünkü bir sürü çocuğu bedava çalıştırmak ve bunun adına eğitim demek DAHİCE bir fikir.

Yemekten sonra, kulübemize dönerken, Gareth yerdeki bir taşa takıldı.

Emilio taşı görünce, çok rahatsız oldu.

Taşın üzerinde çizikler vardı ve Emilio bunu ancak Silas Scratch'in yapmış olabileceğini söyledi.

Jeffrey, bu taşın belki de Silas Scratch'in mezartaşı olduğunu, şimdi onu mezarında rahatsız ettiğimiz için lanetlenmiş olabileceğimizi söyledi.

Çocuklarla mantıklı bir şekilde konuşmaya çalıştım. Öncelikle Silas Scratch'in ÖLMÜŞ olduğunu, bunun herkes için iyi haber olduğunu söyledim. İkincisi, bu Silas Scratch'in mezartaşı olamazdı çünkü adamın KENDİ KENDİNİ gömmüş olması mümkün değildi.

Bunu hiç söylememeliydim çünkü herkes iyice rahatsız olmuştu. Birden, Silas Scratch öldürülemeyen, CANLI bir çiftçiye dönüşmüştü.

170

Akşam yemeğinde, herkes sadece Silas Scratch'in mezarını konuşuyordu.

Biri, Silas Scratch'i ormanda gördüklerini iddia etti. Başka biri tam da aynı saatlerde Silas Scratch'i kampın diğer ucunda gördüklerini söyledi.

Sonra Albert Sandy herkese Silas Scratch'in kulübelerin arkasında bir tünel ağı olduğunu, bu yüzden her yere böyle hızlı hareket edebildiğini duyduğunu anlatmaya başladı.

Ve şimdi Albert Sandy sayesinde, çocuklar kamptaki tuvaletleri bile kullanmaya korkuyorlardı.

Çocuklardan birkaçı, tuvaletlerini eve gidene kadar tutacaklarını söylediler. Bu bana pek mantıklı gelmedi; özellikle daha kampın İKİNCİ gününde olduğumuzu düşününce.

Çarşamba

Bugün, çiftlik işlerini bitirdikten sonra, istediğimiz şeyi yapmamız için serbest zamanımız vardı. Ben biraz şekerleme yapmaya karar verdim ama kulübe arkadaşlarımın başka planları vardı.

Gareth, Jeffrey ve Jordan akşam yemeğinde GÜVEÇ yemekten bıktıklarını söylediler. Bu yüzden nehre gidip BALIK tutacaklardı.

Bunun duyduğum en aptalca fikir olduğunu söyledim. Yanlarında oltaları filan bile yoktu ki.

Ama çok kararlıydılar. Onlar gidince, ben de kulübeye girip ranzama çıktım.

Uyumam biraz zaman aldı. Tam dalmak üzereydim ki, kulübe arkadaşlarım koşarak kapıdan içeri girdiler.

İster inanın ister inanmayın, o şapşallar gerçekten de bir balık tutmayı başarmışlardı. Jeffrey'nin gömleğini AĞ olarak kullanarak tutmuşlardı balığı.

Ama şimdi balığı ne yapacaklarını bilmiyorlardı. Kesin olan tek şey, kimsenin balığı YEMEK gibi bir niyetinin olmadığıydı.

Çocuklara, eğer balığı bir an önce suya atmazlarsa, CANLI kalmayacağını söyledim.

Gareth balığı kuyruğundan yakaladı ve tuvalete götürüp klozete attı. Sonra Jordan matarasındaki suyu klozete boşalttı, böylece balığın yüzebileceği biraz daha suyu oldu.

Balık şimdilik iyi görünüyordu. Ben gidip bir kova getirmeye karar verdim, böylece balığı yeniden nehre götürüp bırakabilirdik.

Ama tam ben çıkacakken, Bay Jefferson kulübeye girdi. Diğer çocuklar hemen tuvaletin kapısını kapattılar. Ben de soğukkanlı görünmek için elimden geleni yaptım.

Tahminime göre, Bay Jefferson klozette bir balık olmasından hoşlanmazdı. Ben gezide ikinci kez erkenden yatağa gönderilmek istemiyordum.

Bay Jefferson bana DİĞER herkesin nerede olduğunu sordu. Nehre gitmiş olabileceklerini söyledim. Bay Jefferson da eğer onları görecek olursam ana kulübeye gitmelerini, postaların dağıtılacağını söylememi istedi.

Bay Jefferson gidince, balığın klozetten dışarı atlamaması için klozetin kapağını kapattım. Sonra da sınıfın geri kalanına katılmak üzere ana kulübeye gittik.

Bayan Graziano gelen postaları çocuklara dağıttı. Annem bana mektup göndermişti; itiraf edeyim okurken içim bir tuhaf oldu.

Sevgili Gregory,

Seni çok özledik!
Eve dönmeni sabırsızlıkla
bekliyoruz. Umarım harika
vakit geçiriyorsundur!

Sevgiler, öpücükler
Annen

Rodrick de mektup göndermişti. Ama ONUN
mektubunu anneminki kadar sevmedim.

Sevgili Greg,

Senin şekerlerini buldum.
Al, ambalajlarını kokla
istersen.

Keh keh keh.

Babam mektup yazmamıştı ama domuzdan mektup VARDI. Ailemden birinin bunu şaka olsun diye yazdığını umdum çünkü eğer o şey bir şekilde yazmayı da öğrenmişse, o zaman ne diyeceğimi bilemezdim.

Juliana'a da evden mektup gelmişti. Ama annesi, mektupla birlikte bir de fotoğraf göndererek BÜYÜK bir hata yapmıştı.

Ev özlemi çekiyor gibi görünen TEK kişi Julian değildi. İki çocuğa hiçbir şey gelmemişti ve mektup alan bazı kişilerden bunları yüksek sesle okumalarını istediler.

Birkaç çocuğa da malzeme paketi, temiz giysiler filan gelmişti.

Ancak grubumuzun asıl şanslısı, içinde bir sürü malzemenin olduğu KOCAMAN bir kutunun geldiği Graham Bertran idi.

Daha sonra kulübeye döndüğümüzde, Graham'ın bu kutuyu geziye gelmeden önce KENDİNE gönderdiğini, kamp malzemelerinin arasına bir sürü abur cubur sakladığını öğrendik.

Neyse ki bunları bizimle paylaşmaya razıydı. Daha önce, bir yürüyüş ayakkabısının içinden çıkan mısır cipslerini yiyeceğim aklıma gelmezdi hiç ama o anda gurur yapacak halim filan yoktu.

Emilio pencereden dışarı baktı ve Bay Jefferson'ın kulübeye doğru geldiğini gördü. Biz de Graham'ın bütün malzemelerini battaniyenin altına sakladık.

Bay Jefferson kulübeye girdiğinde, hiçbir şey fark etmedi.

Ne yazık ki, bütün dikkatimizi abur cuburlar üzerinde yoğunlaştırdığımızdan, BALIĞI unutmuştuk.

Bay Jefferson için biraz üzüldüm ama bu benim için iyi bir ders oldu. Artık şunu hiç unutmayacağım: Klozete oturmadan önce mutlaka içine bakılmalı.

Bay Jefferson çok sinirlendi ve bunun bir tür şaka olduğunu sandı.

VE elbette bunun benim başımın altından
çıktığını düşündü.

Bu yüzden bu gece, herkes kamp ateşinin başında
Bayan Graziano ile şarkılar söyleyip eğlenirken,
ben öfkeli bir gözetmenle kulübede kaldım.

Perşembe
Kamptaki çocukların çoğu düne kadar durumu
idare ederken, evden gelen mektuplardan sonra
herkes bir duvara toslamış gibiydi.

Sınıf arkadaşlarımın çoğu evini özlüyordu
ve evimize erken dönüp dönemeyeceğimizi
soruyorlardı. Ancak gözetmenler, eve erken
dönmek için tek ihtimalin TIBBİ bir sorun
olduğunu söylediler.

Keşke bunu insanların aklına sokmasalardı.
Çünkü çocuklar artık BİLE BİLE hasta olmaya
çalışıyorlardı.

Melinda Harrison, öğle yemeğinden sonra bir
garip davranmaya başlamıştı. Meğer kendini
hasta etmek için üç porsiyon güveç yemiş; bu
bana biraz AŞIRI geldi.

Ancak Melinda hemşirenin yanında birkaç saat
geçirip yediklerini hazmetmesi sağlandıktan
sonra, yeniden grubun yanına gönderildi.

Julian işi bir adım daha İLERİ götürdü. Bay
Jefferson, onu kulübede yarısı yenmiş bir mum
deodoranın yanında karnını ovuştururken buldu.

Bu da Julian için yolun sonu oldu.

Birkaç saat sonra Julian'ın annesi onu almaya geldi. Ancak Julian yola çıkar çıkmaz iyileşmişti sanki.

Birkaç çocuk, Julian'ın fikrinin ne kadar iyi olduğunu konuşmaya başladılar ve gözetmenler de bunu duydu.

Bunun üzerine, gözetmenler, kimse Julian'ın yolundan gidemesin diye, herkesin deodoranlarını toplamaya başladı.

Bu KULÜBEMİZ için kötü haberdi; çünkü her yerde ıslak havlular ve kirli giysiler varken ve çocuklar ter suyunun içinde yıkanıyorken, kulübemiz maymun yuvası gibi kokuyordu.

Deodoran, kulübedeki kokuların toksik düzeye ulaşmasını engelleyen tek şeydi belki de.

Ve eğer hasta olursak, hepimiz eve erken gidecektik.

Bu, diğer herkes için İYİ olabilirdi; ama benim için iyi değildi. Çünkü eve ne kadar erken gidersem, babamla o kadar erken yüzleşmek zorunda kalacaktım.

Cumartesi
Doğrusunu söylemem gerekirse, Rowley dün kampa geri dönene kadar onu tamamen unutmuştum.

Ama kulübemize girdiğinde, evde kalmayı kesinlikle tercih edeceği her halinden belliydi.

Meğer Rowley, Gareth'ın dişinden enfeksiyon kapmış. Bu yüzden bu kadar zaman yokmuş. Rowley dişi de YANINDA getirmişti. Ama bu noktadan sonra o diş Gareth'ın ne işine yarayacak bilmiyorum.

Rowley kötü bir zamanda geldi. Hepimiz kampın DIŞARIDA geçirmek zorunda olduğumuz son gecesine hazırlanıyoruz.

Bu geceyi dört gözle bekliyorum çünkü böylece leş gibi kokan kulübemizin dışında bir gece geçireceğiz.

Ama bizim gruptakilerin dışarıda uyumaya DAYANABİLECEKLERİNDEN emin değilim.

Yarın gece bir barınak yapıp ateş yakacağız. Bütün bunları nasıl yapacağımız konusunda hiçbir FİKRİM yok.

Bay Jefferson bize bazı temel dışarı işlerinin nasıl yapılacağını öğretmeye çalıştı ama sonunda onun da bizim kadar BECERİKSİZ olduğu çıktı ortaya.

Dün bize nasıl ateş yakacağımızı öğretmeye çalışıyordu ve bunun nasıl yapılacağını görmek için cep telefonuna bakarak "elektronik alet yasak" kuralını delmiş oldu. Ancak sınıf arkadaşlarımızdan ikisi telefonu ellerine geçirip çığlık atan keçilerin videosunu izlemeye kalkınca, şarjı bitti.

Sanırım Bay Jefferson, şarjı bitmeden önce bir şeyler öğrenmişti. Çünkü bir ateş yakmayı başardı ve bizden çalı çırpı toplamamızı istedi. Hiç kimse çalı çırpının NE olduğunu bilmiyordu; biz de yanabileceğini düşündüğümüz her şeyi toplayıp getirdik.

Rowley kucağında yabani ot yığını gibi bir şeyle geldi ve bunları ateşe attı. Ama ortalık dumana boğuldu.

Meğer Rowley'nin ateşe attıkları ZEHİRLİ SARMAŞIK imiş. Bu sabah Rowley benekler içinde uyandı. Bay Jefferson dumanları içine, ciğerlerine çekmişti galiba. Nefes alıp vermekte zorluk çekiyordu.

Hemşire, Bayan Jefferson'ı aradı ve gelip ikisini de almasını söyledi. Sanırım ikisi de bir daha geri dönmemek üzere gittiler.

Yani artık bizim grup, gözetmeni olmayan tek gruptu. Bayan Grazio'nun yeni birini bulmaya çalıştığını duydum ama babaların hiçbiri hafta sonunun geri kalanını kampa gelerek harcamak istemiyordu.

Zamanlama çok kötüydü çünkü yarın gece yağmur yağacaktı ve biz daha barınağımızı yapmaya başlamamıştık bile. Ben aralarında izcilerin bulunduğu bir grubu gözetledim ve ipucu yakalamaya çalıştım. Ama o çocuklar da sır vermemekte kararlıydılar.

Biz kamp kurma çalışması içindeyken, bir başka grup bizim kulübemizi işgal etmişti. Graham'ın abur cuburlarını duymuş olmalıydılar. Çünkü hepsini silip süpürmüşlerdi.

Hırsızlar benim çantamı da karıştırmışlar ve ıslak mendilleri alıp bizim tuvaletimizde kullanmışlardı. Bazılarını da klozete attıkları için klozet TIKANMIŞTI.

İşin en kötü tarafı, klozet taşmış ve tuvaletten gelen sular benim sırt çantama ulaşmıştı.

Bütün eşyalarım ıslanmıştı. Hırsızların bir yatağın üstüne fırlattıkları, büyükbabamın armağanı olan kitap hariç.

Çok sinirlenmiştim. Ama kitabın sayfalarını karıştırmaya başladığımda, kulübemizi istila eden hırsızların bize büyük bir İYİLİK yapmış olabileceklerini fark ettim.

Kitapta bir sürü gereksiz bilgi vardı. Örneğin bir bölümde evdeki malzemelerle nasıl radyo yapılacağı anlatılıyordu.

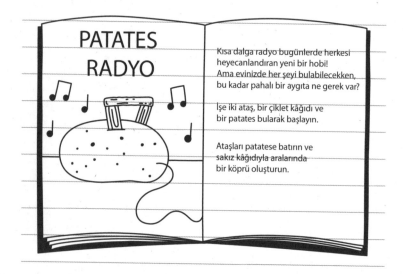

PATATES RADYO

Kısa dalga radyo bugünlerde herkesi heyecanlandıran yeni bir hobi! Ama evinizde her şeyi bulabilecekken, bu kadar pahalı bir aygıta ne gerek var?

İşe iki ataş, bir çiklet kâğıdı ve bir patates bularak başlayın.

Ataşları patatese batırın ve sakız kâğıdıyla aralarında bir köprü oluşturun.

Ama kitapta ÇOK yararlı bilgiler de vardı. Bir bölümde zehirli sarmaşıkları nasıl tanıyabileceğiniz anlatılmıştı; dün çok işimize yarayacak bir bilgiydi bu. Dışarda işe yarayacak başka bilgilere de yer verilmişti; kibrit olmadan nasıl ateş yakılabileceği gibi.

Bu bilgilerin bazılarını denemek ve gerçekten işe yarayıp yaramadığını görmek için can atıyordum. Grubumu kamp alanına götürdüm ve Emilio'nun gözlüğünü ödünç istedim. Mercek aracılığıyla, güneş ışığını kuru yapraklar üzerinde yoğunlaştırdım. Kitapta böyle tarif ediliyordu. Biraz sonra yapraklardan duman tütmeye başladı ve ateş yandı.

Herkes, bir yetişkinin yardımı olmadan ateş yakabildiğimiz için heyecanlanmıştı. Biz de kendimizi coşkuya fazla kaptırmıştık. Kutlamalar sırasında Emilio'nun gözlüğü ezildi.

Meğer, Emilio gözlüğü olmadığında yarasa kadar kör oluyormuş. Gezinin geri kalanı onun için zorlu geçeceğe benziyordu.

Neyse ki Jefferson da gözlük takıyor. Böylece yarın da ateş yakabiliriz.

Yemekten sonra kulübemize döndüğümüzde, gerçeğin soğuk yüzüyle karşılaştık. Taşan klozet, kulübede kötü kokunun daha da beter olmasına neden olmuştu. Artık TAMAMEN dayanılmazdı.

Yerleri kirli kıyafetlerimizle sildik ve hepsini iki çöp torbasına doldurduk. Ama yine de İŞE YARAMIYORDU.

EN KÖTÜ koku bizden geliyor gibiydi. Bu sorunla baş etmenin en iyi yolu da DEODORAN idi.

Jordan, kızların kulübelerinden birine girip deodoranlarını çalabilceğimizi söyledi. Sonra kızların deodorant kullanıp kullanmadığı konusunda büyük bir tartışma başladı.

Ancak herkesi heyecanlandıran fikir, kızların kulübesini istila etmekti.

En çok heyecanlanan kişi Emilio idi. Ama ona, gözleri görmediği için, bunun kendisi açısından tehlikeli olabileceğini söyledik.

O da kendisine İHTİYACIMIZ olduğunu, çünkü burnunun çok iyi koku aldığını ve kızların kulübesini koklayabileceğini söyledi. Onun abartıp abartmadığından emin değildik; biz de kendisini farklı şeylerle koku testinden geçirmeye karar verdik. Gerçekten de her kokuyu aldı.

Böylece Emilio da bize katıldı. Hepimiz hazırlanmaya başladık. Ama tam biz çıkmak üzereyken, Bay Nuzzi bize bakmaya geldi.

Bay Nuzzi bizim pek iyi işler peşinde olmadığımızı anladı; bu yüzden eğer gizlice dışarı çıkmaya kalkarsak başımızın BÜYÜK derde gireceğini söyledi.

Sonra Bay Nuzzi gitti ve birkaç dakika sonra elinde bir kutu bebek pudrasıyla geri döndü.

Pudrayı püskürterek kulübenin etrafında büyük bir çember çizdi. Böylece eğer DIŞARI çıkacak olursak, ayak izlerimiz bizi ele verecekti.

Herkes paniğe kapılmaya başlamıştı çünkü gecenin geri kalanında kulübeye hapsolacağımızı düşünüyorlardı. Ama ben kitaptan bir bölümün bize yardımcı olabileceğini hatırladım.

RAKAMLARI GİZLEMEK

Eski Ninjalar düşmanlarını kandırmanın akıllıca bir yolunu bulmuşlardı.

Bir grup halinde seyahat eden Ninjalar, tek bir sıra halinde, aynı ayak izlerine basarak yürüyorlardı.

Böylece sonunda bir değil, bir sürü kişiyi takip ettiğini keşfeden düşmanlarını kandırmış oluyorlardı!

Bay Nuzzi, etrafa pudra serperken KENDİ ayak izlerini bırakmıştı. Yani bizim de tek yapmamız gereken, onun ayak izlerini tam olarak takip etmekti. Böylece bizim dışarı çıktığımızı asla anlamayacaktı.

Tek sorun, Bay Nuzzi'nin ayak izlerinin bizimkilerden çok daha büyük olmasıydı. Ama yatağın altında Bay Jefferson'in botları vardı. Ve Bay Nuzzi ile Bay Jefferson'in ayakları aynı numara gibiydi.

Önden ben yürüdüm. Bay Nuzzi'nin izinden gitmek biraz zordu ama bebek pudrasının diğer tarafına geçmeyi başardım.

Sonra ayağımdaki botları çıkarıp sıradaki çocuğa attım.

Herkes bu şekilde kulübeden çıktı. Emilio bile Jeffrey'nin sırtında çıkmıştı.

Hep birlikte kızların kulübelerine doğru yürümeye başladık. Ama ne olduğunu anlayamadan kaybolduk. Bu biraz korkutucuydu çünkü kimse kulübemizin hangi tarafta olduğunu bile bilmiyordu.

Derken Jeffrey, Silas Scratch konusunu açarak işleri daha beter etti. Jeffrey, Silas Scratch'in belki de her hareketimizi gözetlediğini ve bizi teker teker yakalayıp canlı canlı yiyeceğini söyledi.

Kulübe arkadaşlarım ne yapacaklarını şaşırmışlardı. Hepsinin ayrı yöne dağılacağını sandım.

Ancak Emilio havada bir koku duyarak durumu kurtardı.

Burnuna bir kız kulübesi kokusu geldiğini ve kulübenin çok uzakta olmadığını söyledi.

Gerçekten kulübelerden biri biraz ilerideydi. Hepimiz olabildiğince sessiz bir şekilde oraya doğru yürüdük. Sonra camlardan birini açmak için takım kurma becerilerimizin bazılarını kullandık.

İçeride herkes uyuyor gibiydi. Ben kendimi camdan içeri bıraktım ve hiç ses çıkarmadan yere indim.

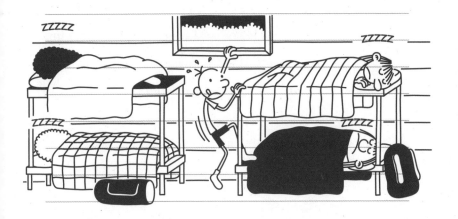

Ama çevreme bakındığımda, kulübenin kız izcilerle dolu olduğunu gördüm.

Deodoran bulma görevinden vazgeçmeye karar verdim ama artık çok geçti.

Bundan sonrası bulanık. Kızların bağırdığını, beni ayak bileklerimden yakaladıklarını, kulübe arkadaşlarımın kapıdan çıkmak için birbirlerinin üzerinden atladıklarını hatırlıyorum.

Sonra ormana doğru deli gibi koşmaya başladık.

Nasıl olduğunu SORMAYIN bana ama kulübemize giden yolu bulduk. Ne yazık ki bebek pudrasını tamamen unutmuş ve hepimiz pudraya basmıştık. Ama o anda bunu düşünecek halimiz yoktu.

Ben görevin tam bir başarısızlıkla sonuçlandığını düşünüyordum ama sonra elimiz boş dönmediğimiz anlaşıldı. Graham kızların kulübesinden bir çantayı kapmış ve yanında getirmişti.

Ben hırsızlık yaptığımız için pek rahat değildim. Birimizin kimse fark etmeden çantayı geri götürüp kızların kulübesine bırakması gerektiğini söyledim.

Ama kimse beni desteklemedi çünkü herkes çantanın içinde ne olduğunu merak ediyordu.

Çantadaki giysiler, BİZİM yaşımızda bir kıza ait gibi görünmüyordu.

Ancak çantanın kime AİT olduğunu anladığımızda, sahibi gelip kapıya dikilmişti bile.

Bayan Graziano'nun bizi bebek pudrası sayesinde bulduğunu düşündüm ama meğer daha da kolay olmuş onun için. Kulübenin kapısını açar açmaz, Emilio'nun karanlıkta sendeleyerek yürüdüğünü görmüş. Yani, kimseyi arkanızda bırakmamanız gerekiyor.

Bayan Graziano bizi "olgunluktan uzak saçmalıklarımız" yüzünden azarladı. Bir gece bile kendi başımıza idare edemediğimizi, bize güvenilemeyeceğini, bu yüzden hemen bir acil durum gözetmeni çağıracağını söyledi.

Gece yarısı o kadar yolu gelmeye razı olacak birini düşünemiyordum. Biri gelse bile, geldiğine hiç MEMNUN olmazdı, emindim.

Sonunda benim haklı olduğum ortaya çıktı.

Pazar

Keşke Bayan Graziano son gün için babamı gözetmen olarak çağıracağına beni eve gönderseydi. Babam, araba yüzünden yeterince kızgındı zaten. Şimdi bir de bizim gibi yıkanmamış ortaokul çocuklarına bakıcılık yapmak zorunda kalmıştı.

Ona, kulübemizde tuvaletin bile kullanılamadığı haberini vermek pek eğlenceli olmadı.

Babama, en azından kampta olan bitenleri anlatmayı borçlu olduğumu düşündüm ama o kendisine anlattığım her şeyi biliyordu zaten. Hatta GÜVECİ bile biliyordu çünkü biri onun tabağına güveç koyduğunda, hemen kaba boşalttı.

Önce babamın Rodrick çiftliğe geldiğinde de gözetmenlik yaptığını düşündüm; ama sonra diğer gözetmenlerden birinin babama selam verdiğini görünce her şeyi anladım.

Babam da BENİM yaşımdayken Karabaht Çiftliği'ne gitmiş.

Babamın burada olduğu için mutsuz olmasına şaşmamak gerekti. Eğer o da BENİMKİ gibi bir deneyim yaşamışsa, buraya bir daha asla, bir milyon yıl boyunca, tekrar gelmeyeceğini düşünmüştür.

Kulübe arkadaşlarım ile birlikte bir gece boyunca kamp kurmaya çalıştık. Babamın yardım etmek gibi bir niyetinin olmadığı belliydi.

Zamanının çoğunu başka yerlerde geçiriyordu ve ne yapıyordu kim bilir. Yanımızda olduğu zamanlarda da parmağını bile kıpırdatmıyordu.

Sonuç olarak barınağımızı o olmadan kurduk. Neyse ki büyükbabamın verdiği kitapta suya dayanıklı bir barınağın nasıl yapılacağı anlatılıyordu, bu yüzden babamın yardımına ihtiyaç duymadık.

Akşam yemeğinde, başka bir gruptan çocuklar gerçekten sarsılmış görünüyorlardı. Odun toplamaya çıktıklarında eski bir kulübeyle karşılaştıklarını ve bu kulübenin %99 Silas Scratch'e ait olması gerektiğini söylediler.

O anda babamın herkese Silas Scratch'in, çocukların geceleri kulübelerinden çıkmalarını engellemek için uydurulmuş bir hikâye olduğunu söylemesini istedim. Ama SÖYLEMEDİ.

Kendisi Karabaht Çiftliği'ne geldiğinde, iki çocuğun Silas Scratch'in kulübesini yokladığını ve kendilerinden bir daha haber alınamadığını söyledi.

Geceyi ormanda geçirmemizden hemen önce, babamın söyleyebileceği EN KÖTÜ şeydi bu.

Yemekten sonra, Bayan Graziano herkese kulübelerinden gerekli eşyalarını almalarını ve kamp alanına gelmelerini söyledi.

Birkaç çocuk içerde uyumak için yalvarıyordu. Ama Bayan Graziano, Karabaht Çiftliği'nde son gece hep dışarda uyunduğunu ve yine böyle olacağını söyledi.

Ateşi daha önce yakmıştık. Kamp alanına vardığımızda hâlâ yanıyordu. Ama biraz zayıflamıştı, bu yüzden odun atmamız gerekiyordu. Ancak hava kararınca, bizim gruptaki çocuklar odun toplamama yardım etmeye gelmek istemediler.

Babamdan yardım istemeyi düşündüm ama KİM BİLİR nerdeydi.

Ben de odun toplamaya tek başıma gittim. Kampın etrafındaki alanda hiç tahta parçası ya da odun yoktu. Ben de ormanın derinliklerine doğru yürümek zorunda kaldım. Ama geri dönmek istediğimde, kamp alanının hangi tarafta olduğunu hatırlayamadım.

Biraz paniğe kapılmaya başlamıştım ama sonra kamp ateşimiz olduğunu düşündüğüm bir ışık gördüm. Oraya doğru yürüdüm. Yaklaştığımda, ışığın geldiği yere inanamadım.

İtiraf edeyim, Silas Scratch konusunu o ana kadar ciddiye almamıştım. Ama şimdi KORKUDAN ölmek üzereydim.

Işıkta bir gariplik vardı ama. Sanki kulübenin içinde şömineden geliyor gibiydi fakat aslında bir ampuldü. Böcek ve yabani meyve yiyen deli bir çiftçinin elektriğinin olması saçma değil miydi?

Kulübenin kapısı sımsıkı kapalıydı. Ben de arka tarafa geçtim ve kilitli olmayan metal bir kapı gördüm.

Nefesimi tutarak kapıyı açtım. Kalbim göğsümden fırlayacak gibi atıyordu. Ama orada kimin olduğunu öğrenmeliydim.

İçeridekileri gördüğümde, buranın bir baraka olmadığını fark ettim. İçi aletlerle dolu bir depoydu burası ve hiç de ESKİ görünmüyordu.

Biraz daha yürüdüm. Bir koridordan geçtiğimde, beni şoke eden bir şeyle karşılaştım.

Burası, içinde klozeti, lavabosu, HER ŞEYİ olan bir banyoydu. Rulo rulo tuvalet kâğıtları vardı ve hiç de ucuz şeyler değildi bunlar.

Başım dönmeye başlamıştı. Kamp alanına dönmek ve herkese bulduğum şeyi anlatmak istiyordum. Ama birden tüylerimin ürpermesine neden olan bir ses duydum.

Bu bir ıslık sesiydi ve hemen arkamdan geliyordu.

Koşmak için arkamı döndüm ve o anda babamla burun buruna geldim.

Dilim tutulmuştu. Bir malzeme deposunda duş alarak ne yapmaya çalışıyordu bilmiyorum ama sonra konuşmaya başladı.

Babam, kendisinin Karabaht Çiftliği'ne geldiği zamanlarda tuvalet meselesinin ŞİMDİKİNDEN bile kötü olduğunu söyledi.

Sadece kamptaki herkesin ortak kullandığı, dışarda bir tuvalet varmış.

Duş da yokmuş. Yıkanmak isteyenler, ellerine bir sabun alıp nehre gidiyorlarmış.

Sonra bir gün, babam odun toplarken, sezon dışında eşyaların saklandığı bu depoyu keşfetmiş.

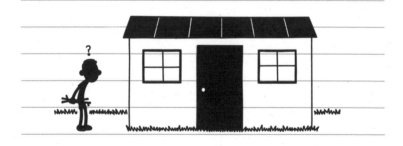

Burada bir tuvalet ve duş olduğunu keşfedince, KİMSENİN öğrenmemesi gereken bir sır olarak saklaması gerektiğini düşünmüş.

Bunun üzerine diğer çocukları oradan uzak tutmak için Silas Scratch hikayesini uydurmuş.

Babam, dün çiftliğe geldiğinde, Silas Scratch'in hâlâ konuşulduğunu duyup şaşırdığını söyledi. Ama hikâyeyi sürdürmeye karar vermiş, böylece tuvaleti sadece kendisi kullanabilecekmiş.

Babama, herkese bu kadar stres yaşattığı için kızmıştım. Ama itiraf etmeliyim; bir banyoyu sır olarak tutmak için böyle çılgınca bir hikâye uydurmak BENİM de yapabileceğim bir şeydi.

Kamptan uzun süre uzak kaldığımı fark ettim. Kulübe arkadaşlarım benim Silas Scratch'e yakalandığımı düşünüyor olmalıydılar.

Babamdan, kampa dönen yolu bulmama yardım
etmesini istedim.

Yağmur yağmaya başlamıştı ve biz geri
döndüğümü de ateş tamamen sönmüştü.
Gruptakiler umutsuzluğa kapılmış ve buldukları
yanabilecek her şeyi ateşe atmış olmalıydılar.
Çünkü benim kitabım da oradaydı. En azından
arta kalan kısmı oradaydı.

Kulübe arkadaşlarımı barınağımızda, büzüşmüş
halde bulduk.

Ben geceyi o yağmurun altında dışarda geçirmek istemiyordum. Neyse ki babam da istemiyordu.

Babam kamp kurallarını da pek önemsemiyordu anlaşılan. Hepimizi kulübeye soktu. İçerisi leş gibi kokuyor olabilirdi ama yine de hayatımın en iyi uykusunu çektim.

Pazartesi

Bu sabah eşyalarımızı topladık ve otoparka taşıdık.

Sınıftaki herkes geceyi ormanda geçirdiği için MAHVOLMUŞ görünüyordu. Ancak bizim gruptakiler CAPCANLIYDILAR.

Kulübe arkadaşlarım, Silas Scratch ortalarda dolanırken bu hafta hayatta kaldığımız için ne kadar şanslı olduğumuzu söylüyorlardı. Benim tek yapabildiğim de dilimi ısırmak oldu.

İnanın bana, Silas Scratch'in uydurma olduğunu söylemek için can atıyordum. İnsanlar bana sonunda bu meseleyi aydınlattığım için bir KAHRAMAN gibi davranabilirlerdi.

Ama sonra düşündüm: Bir gün benim de bu çiftlikte gözetmenlik yapmam gerekebilirdi ve o zaman ben de banyoyu tek başıma kullanmak isteyebilirdim.

Tam çantamı otobüse yerleştirecektim ki, babam bana eve onunla birlikte dönebileceğimi söyledi. Bu, birinin kucağında oturarak gitmekten daha iyiydi. Ben de babamın teklifini kabul ettim.

Yolda, içi yeni gelen çocuklarla dolu bir otobüsle karşılaştık. Hemen onları neyle karşılaşacakları konusunda uyarmak için bir not yazdım. EN AZINDAN bunu yapabileceğimi düşündüm.

TEŞEKKÜRLER

Muhteşem aileme beni neşelendirdikleri ve hayatıma keyif kattıkları için teşekkürler.

Charlie Kochman'a, her Saftirik kitabının en iyi şekilde ortaya çıkmasını sağladığı için teşekkürler. Abrams'taki ekibe, Michael Jacobs, Jason Wells, Veronica Wasserman, Susan Van Metre, Jen Graham, KeriLeeHoran, Chad L. Beckerman, Alison Gervais, Elisa Garcia, Erica La Sala ve Kim Ku'ya teşekkürler.

Shaelyn Grmaiin ve Anna Cesary'ye inanılmaz bir yapı oluşturdukları için teşekkürler. Deb Sundin ve An Unlikely Story'deki herkese harika bir bağımsız kitapçı yarattıkları için teşekkürler.

Rich Carr ve Andrea Lucey'ye yıllar içindeki inanılmaz destekleri için teşekkürler Paul Sennott ve Ike Williams'a değerli öğütleri için teşekkürler.

Jess Brallier'e, son on beş yıldır arkadaşım ve akıl hocam olduğu için teşekkürler. Poptropica'daki herkese destek ve ilhamları için teşekkürler.

Sylvie Rabineau'ya sürekli rehberliği ve dostluğu için teşekkürler. Keith Fleer'a yardımları için teşekkürler. Hollywood'daki herkese yeni Saftirik kitaplarını hayata geçirdikleri için teşekkürler. Nina Jacobson, Brad Simpson, Elizabeth Gabler, Roland Poindexter, Ralph Milero ve Vanessa Morrison'a teşekkürler.

YAZAR HAKKINDA

Jeff Kinney, *New York Times* çok satanlar listesinde defalarca 1 numaraya yükselmiş çocuk kitapları yazarıdır. *Saftirik Greg'in Günlüğü* serisiyle altı kere Nickelodeon Kids "Choice Award" en sevilen kitap ödülünü kazandı. *Time* dergisi tarafından Dünyanın En Etkili 100 Kişisi'nden biri seçildi. Kendisi aynı zamanda *Time* dergisinin seçtiği en iyi 50 web sitesinden biri olan Poptropica.com'un yaratıcısıdır. Çocukluğu Washington D.C.'de geçen yazar 1995 yılında New England'a taşındı. Halen güney Massachusetts'te eşi ve iki oğluyla birlikte yaşıyor. Burada An Unlikely Story adında bir kitapçıları var.